JN061382

アメリカ 1704

ナイト夫人の旅日誌

天野 元
Amano Hajime

編集工房ノア

アメリカ
1704

―――

ナイト夫人の
旅日誌

天野　元

編集工房ノア

装幀　森本良成

プロローグ

　新大陸に向かう移住者が、メイフラワー号で大西洋を渡って最初
の一歩を踏み出した。1620年のことである。主な乗船客はイング
ランドでの迫害を逃れ、オランダのライデンで生活をしていた37
名の清教徒たちであった。
　乗船客は全体で102名であったから、清教徒は彼らの使用人13人
を含めても少数派であった（乗組員数は不明）。これらの人たちは、
その年の11月9日、厳寒のプリマスに上陸、アメリカの地に最初
の一歩を記した。

"After exploring the coast since their arrival in the New World
on 9 November [, 1620], the Pilgrims have chosen to settle at
Plymouth and now begin to disembark." John S. Bowman, ed.,
The American West Year By Year, New York, Random House,
1996.

　清教徒は、後に巡礼始祖（Pilgrim Fathers）と呼ばれるように
なるが、決して「手ぶら」で移住した訳ではなかった。それなりの
衣服や道具を持っていたのは当然だが、さらに、彼らには信仰があ
り、それに経験と知識を故郷から新大陸に持ち込んだ。
　その最初の一歩（起点）を、仮にアメリカ誕生の年として計算す

ると、アメリカは現在400歳くらいのものである。ナイト夫人が、ボストンからニューヘーヴンに向かったのは1704年のことであったから、1620年の「起点」から見ると、それは、まだ「アメリカ」誕生後１世紀も経っていない時のことであった。社会が十分に落ち着いているという状態からまだほど遠かった、と言うべき時代であった。

　ナイト夫人の時代、つまり独立前のアメリカはどのような場所であったのか、それを見ていくことで、それに付随して、現在の社会に見られる考え方や偏見など、社会的特性（social traits）の芽生えにも、気づくのではないだろうか。
　夫人の独立心や、その反面、本文中に見られる「女性なので」という（一見したところ）逃げるような言い訳は、現在のアメリカ社会にも見られるものだろうか。
　あるいは、読者は、彼女の "holier than thou" 的な、上から目線に気づく場面もあるだろう。独立心や個人主義も垣間見られるかもしれない。ある場所が人間で一杯になれば、向こう側に移動すればいいという、移住に関して気軽（foot-loose）な考え方をしている人と出会うかもしれない。ただし、移住と言っても、遥か彼方にある大陸の反対側、つまり太平洋岸などは全く念頭にない時代の話であることは覚えておかねばならない。Frontier はもっと後になって登場する概念である。

　夫人の日誌に見られる特性が、後に見られるようになる国民的性格（national character）の基礎になったのかも分からない。そういった点にも心をくばって読んでもらいたい。

ナイト夫人が馬で移動を開始した年、その同じ1704年に、アレグザンダー・セルカーク（Alexander Selkirk, 1676–1721）という男が、チリの沖合の島に追放されるという事件があった。航海長の彼と船長のあいだの諍いが原因であったと言われている。セルカークは1709年に救出されるまでの４年４カ月にわたって孤島で自給自足の生活を余儀なくされた。

　この男の体験談を基にして生まれたのが、『ロビンソン・クルーソー』で、著者はダニエル・デフォー（Daniel Defoe ／ 1660–1731）。

　そのタイトルは次のように（現代の目から見ると）非常に長い。『本人以外の全員が死んだ難破で岸辺に投げ出され、アメリカの浜辺、オルーノクという大河の河口近くの無人島で28年もたった一人で暮らし、最後には奇跡的に海賊船に助けられたヨーク出身の船乗り、ロビンソン・クルーソーの生涯と不思議で驚きに満ちた冒険についての記述』という書名であった。

　英語のタイトル：*The Life and Strange Surprizing Adventures of Robinson Crusoe, of York, Mariner: Who lived Eight and Twenty Years, all alone in an uninhabited Island on the Coast of America, In the Mouth of the Great River of Oroonoque; Having been cast on Shore by Shipwreck, wherein all the Men perished but himself. With An Account how he was at last as strangely deliver'd by Pyrates)*

　オルーノク河 Oroonoque と表記されている河は、南米の the Orinoco オリノコ河と思われる（一時期、金埋蔵地と言われてい

た）。英国ではこのような漂流記が同じ頃、続いて出版され、人気を博していた。

『ロビンソン・クルーソー』の原書では、海賊が Pyrates と綴られている（現在では pirates）。スペリング上の同様の齟齬は、ナイト夫人の日誌にも多々見られる。読み始めると、その齟齬に悩まされるが、300年前のことだと割り切るしか手はないだろう。

ナイト夫人の「旅日誌」と訳した、元の英単語は journal である。その語幹 jour はフランス語で、英語の day に相当する意味を持っている。"Bon jour." は、英語の "Good day." にあたる。journey は一日で行ける距離・行程で、journal はその記録である。ちなみに、journalism は、記録の報道である。

Madam は女性の敬称で、ナイト夫人の時代では、「働く、つまり、能力のある女性」に用いられていた。

現代のアメリカ人自身は、ナイト夫人の描いた時代、植民地時代について、どの程度知っているのだろうか。彼らは、「ある程度の知識は持っている」、「1492年、コロンブスの最初の航海に始まり、1765年、印紙法の制定に至るまでの時期である」と、数人の大学教授が指摘している。この程度の知識なら、日本の高校生も持っているのではないだろうか。

アメリカ理解には、それだけでは、もちろん不十分で、新しく大学生用の教科書が用意された。それが、分厚い（3,000ページを超える）、ハードカバーの教科書、*The Literature of the United States* である。そのうちの、「知的潮流 Intellectual Currents」と、「文学思潮 Literary Trends」が翻訳された。それは、『アメリカ・

その知的風土―植民地時代から60年代まで』（英宝社、1994）である（378ページ）。ナイト夫人とその旅日誌も取り扱われている。関連ページ（27、32–33、38、41、49）を挙げておくので、参考にしてもらいたい。

　しかし、アメリカの大学生向きの教科書すべてで、『ナイト夫人の日誌』が取り扱われている訳ではない。例えば、筆者の手元にある、James Kirby Martin, Randy W. Roberts, Steven Mintz, Linda O. McMurry, and James H. Jones の手になる、*America and Its People* (*History of the United States of America: from prehistoric times to the 1980s*) は、本文だけでも1,014ページある（それに、appendix として61ページの付録と Index）。

　また、それぞれの時代の特徴を描写した引用文が多い、John Terry Chase, *the Study of American History*, vol.1 は、全619ページのなかに、ナイト夫人の『旅日誌』は、まったく取り扱われていない。

　これは何故なのだろうか。これらの編著者たちは、『旅日誌』を文学でもない、歴史でもない、そのどちらの範疇にも入らないと判断したのだろうか。

　年表を見てみよう。亀井俊介、平野孝（編）『総合アメリカ年表』（南雲堂、1982）の、1704年の「政治・経済」欄には、「２月28〜29日　アベナスキ族とフランス人、マサチューセッツのディアーフィールド Deerfield を襲う（アン女王戦争）。11月22日、最初の植民地議会、ニュー・キャッスル New Castle に会す。／ノース・カロライナに第二次教区会議法制定。同法を強行せんとした総督代理ケアリー Thomas Cary、クェーカーに追放される」とある。

　さらに、「文化」欄には、「植民地最初の本格的新聞『ボストン・

ニューズ・レター Boston News-Letter』創刊。フィラデルフィア
において、植民地ではじめてオルガンを製造。/ ボストンの教師セ
アラ・ナイト Sarah Kemble Knight、翌年にかけてニュー・ヨー
クまで往復旅行（その日誌 Journal は1824年に出版）」と記されて
いる。

　『ナイト夫人の旅日誌』で使った原書は、1992年に出版された
the Journal of Madam KNIGHT（Applewood Books, Bedford,
MA, USA, 1825）の復刻版で、本文は全体で72ページ。その前に
Introductory Note が 6 ページついている。
　こ の 旅 日 誌 は、William L. Andrews, General Editor, ed.
Journeys in New Worlds: Early American Women's Narratives
（the University of Wisconsin Press, Madison, 1990）にも含ま
れている。この本にも、ところどころに注がついているが、日本の
読者には十分であるとは言いがたい。
　そこで、参考に出来るのはインターネット上の資料である。
　下 記 は そ の 1 つ。https://www.encyclopedia.com/history/
encyclopedias-almanacs-transcripts-and-maps/knight-sarah-
kemble-0

　筆者の Giles Gunn は、カリフォルニア大学サンタ・バーバラ校
の教授である。https://www.english.ucsb.edu/people/gunngiles。
　彼の手になる上記資料は、私たちにとっても十分役立つところが
ある。日本の読者にも参考にしてもらいたい。
　ガン教授は、マサチューセッツ州のアーモスト大学 Amherst
College 出身で、在学中に同志社大学でフェローとして 1 年を過ご

した（1960–61）。滞在先は、キャンパス内にあるアーモスト館で、彼はそこで12名の日本人学生と共同生活をした。

　言うまでもなくアーモスト大学は、同志社の校祖・新島襄（Joseph Hardy Neesima）の卒業（1870）した大学である。

　本書に、同志社やその先生方のお名前がよく出てくるのは、ひとつに校祖・新島襄がアーモスト大学で学ばれたこと、また、同志社のある京都が、マサチューセッツ州やボストン市とのあいだで長い交流の歴史を持っているからである。

　また、私（筆者）自身も同志社大学の卒業生であり、また、非常勤講師として、「英書講読」などを長年にわたって、母校で担当した経験があり、同志社大学に強い愛着を持っているからである。

　本書は、同志社大学の学部学生のうち、1回生、2回生を念頭に、「当て書き」をしているように感じられる点も多々あると思うが、それは上記の理由からである。

　ナイト夫人の旅が始まる。それに同行するための予備知識として、最初にごく短い年表に目を通してもらいたい。

1492 コロンブス、アメリカ大陸に

1493 彼の手紙がヨーロッパで印刷される

1509年 ヘンリー8世即位

1517 マーティン・ルターの宗教改革・プロテスタント教会(新教)設立

1543 ポルトガル船、種子島に漂着（鉄砲伝来）

1619 京都でキリスト教信者52人殉教（将軍秀忠の命）

1620 巡礼始祖、メイフラワー号でプリマスに到達

同年 先住民マサソイト、プリマス植民地を訪れ、援助の手を差し伸べる

1629 マサチューセッツ湾植民地建設
1664 オランダ領ニューヨーク、イギリス植民地に
1691-92 セーレムの魔女裁判
1706 ベンジャミン・フランクリン、ボストンに誕生

　ベンジャミン・フランクリンは、1706年ボストンに生まれた。
兄と姉がすでに15人いたので、彼はフランクリン家の16人目の子
供であった。彼の後に 2 人誕生したので、彼の兄弟姉妹
（siblings）は17人になった（幼くして亡くなった子 1 人を含む）。
　子供たちの父親ジョサイアは、英国生まれの染物屋で、1682年
に植民地に移住、ボストンでロウソクと石鹸を作る職人になった。
子供たちのうち、最初の 7 人は彼の最初の妻アンによるもので、残
りは 2 番目の妻アバイアが産んだ。
　「私の父は若くして結婚、1682年のころ、妻と 3 児を抱えて
ニュー・イングランドに移住した。［英国では］非国教徒の秘密集
会が法律で禁じられ、その集会中にたびたび妨害を受けた」。それ
で、彼はアメリカに逃れると、自分たちの信仰を守ることができる
と考えたのであった。
　ベンジャミンの兄たちは、ボストンでそれぞれ徒弟奉公に出され
た。彼自身は、8 歳になると小学校（grammar school）に通い始
めた。信仰心の篤いジョサイアが、息子たちのうち 1 人くらいは、
教会に「献納」してもいいだろうと考えたからであった。つまり、
彼は、信者が教会に納める十分の一税（tithe）として、正規教育
を受けた息子一人くらいは、教会で働かせても、まあ、いいだろう
くらいに考えたのであった。しかし、資金が続かず、この息子は中
途退学させられ、近くの私塾に通うようになった。https://www.

gutenberg.org/files/20203/20203-h/20203-h.htm

　同じ頃、アメリカに渡った若者 William Moraley（1698–1762）が、次の自伝を残している。*The Infortunate: the Voyage and Adventure of William Moraley, an Indentured Servant*（the Pennsylvania State University Press, 2005）。タイトルは、『不運な年季奉公人』とでも訳せばいいのか。https://books.google.com.gi/books?id=9vxZoid17mQC&printsec=frontcover&source=gbs_atb#v=onepage&q&f=false

　主人公ウィリアムは、ベンジャミン（1723）とほぼ同じ時期（1729）、フィラデルフィアの通りを歩いていた。一人は成功と名声の道を歩み始め、もう一人は貧困と不幸に直面する。この年季奉公人の記録も、日本語に翻訳される価値の十分にある、18世紀初期アメリカの資料である。

　成功の道を歩み始めた子供が、ボストンで通った「私塾」の先生が、ナイト夫人であったと指摘する向きもあるが、どうやらその可能性は低いようだ。

　いずれにしても、ベンジャミンは17歳のとき、ボストンを飛び出し、ニューヨークへ、次いでフィラデルフィアに向かった（この移動の旅については、拙著『ゴールドラッシュの恋人たち』の第14章「若者の歩く意思」を参照してもらいたい。

　以下に、『日誌』を順に追って、ボストンを中心とした植民地の生活を見ていこう。全体の構成は、英語の短い原文、注解、日本語訳という順にした。当初は、初めに日本語への試訳、次いで該当部分の原文、そして注解という順で紹介していくつもりであった。しかし、原書を「講読」するという観点からは、英語→注解→日本語

という順序が正しいのではと、考え直した結果である。つまり、この方が、いきなり英語の原文にあたるので、チャレンジングで、ベターなように思えたからである。日本語の試訳には、★印を文頭につけた。

日誌

====== = Monday, Octb'r, ye second, 1704   About three o'clock afternoon, I begun my Journey from Boston to New-Haven; being about two Hundred Mile.   My Kinsman, Capt. Robert Luist, waited on me as farr as Dedham, where I was to meet ye Western Post.

<マダム・ナイト Sarah Kemble Knight, 4/19/1666–9/25/1727>
この日誌の筆者サラ・ケンブル・ナイトは、1666年にボストンで生まれた。年表に記したように、巡礼始祖がメイフラワー号でプリマスに到達したのが1620年、独立宣言が1776年であるので、そのあいだの時期である。

　父のトーマス・ケンブルは、メインに土地を所有していた。母の父は（今はボストンに含まれる）チャールズタウンの船主であった。

　父のトーマス・ケンブルとリチャード・ナイトが署名している書類が、ボストン公共図書館に残っている。それには、トーマスの、「良家の未婚女性」、つまり、サラと、リチャード・ナイト船長が1688年4月17日に結婚の予定と記されている。この日付は彼女が22歳になる2日前のものであった。

　結婚した2人の間にサラのただ1人の子供、エリザベスが生まれた（5/8/1689）。リチャードはかなり年上のやもめであったと思わ

れるが、はっきりしたことは分かっていない（亡くなったのは1703年、つまり、ナイト夫人は旅の出発時、未亡人であった）。

サラは恵まれた環境で育ったようだが、後に見る経営（私塾と下宿）と法律の知識をどこで得たのかは定かでない。

1704年、彼女の経営する下宿を利用していた女性が、ナイト夫人の従弟ケイレブ・トロウブリッジと結婚、しかし新郎は2カ月もたたないうちに亡くなった。

ナイト夫人がニューヘーヴンに向かったのは（おそらく）この若い未亡人の遺産相続問題を解決するためであったと思われる。

ボストンからニューヘーヴンまで200キロほどの一人旅は、未開の荒野を通るだけでなく、移動手段の選択が徒歩か馬に限られていたことを思うと、大きな危険に身をさらすものであった。

女性と馬を描いた木版画がある。https://connecticuthistory.org/sarah-kemble-knights-journey-through-colonial-connecticut/

この版画では、馬上の女性の座り方ははっきりしない（右足もこちら側に見えるようにも思える）。また、荷物が描かれていないことを考えると、この女性は、「ちょっとそこまで」といった感じで、馬上の人になったのではないか。旅に出るマダム・ナイトは、当然いくらかの荷物を持っていただろう。（表紙画）

しかし、旅人である彼女の姿は、はっきりとしたイメージが湧いてこない。日誌を読んでいくにつれ、もう少しはっきりした姿が浮かぶかもしれない。まずは彼女の日誌そのものに入って行こう。

今の私たちから見れば、原文には読みづらい箇所が多々ある。Ye は the であり、その他に、「なんじらは」という意味もある。過

去形に過去分詞を使ったり、far には、おまけの r がついていたり、mile に複数の s が脱落していたり、なかなかユニークな英語である、というのが、一読したときの率直な印象であった。小文字でいいのに大文字になっていたり、あるいは綴りが今のものと異なっていたり。

　そういった「間違い」も、できるだけ原文に忠実にここに写したつもりである。ただ、パソコン入力時に決定ボタンを押すと、オートで「訂正」されてしまうこともあり、それに気付くたびに原文の間違い通りに「訂正」したが、見落としがあるかもしれない。正しく間違っている原文の 1 例：http://eada.lib.umd.edu/text-entries/journal-of-madam-knight/

＜1704年10月2日　月曜日 Monday, Octb'r. ye second, 1704＞
この日、ナイト夫人は、ボストンからニューヘーブンまでの旅に出た。目的地までの距離は、約200キロほど。（京都－品川間は新幹線で513.6キロ。京都から東に200キロのところは、豊橋あたり、西では岡山あたり。北陸では京都―金沢が225キロ）。

　現代の旅人にはそれほど遠いところではない。しかし、ナイト夫人の旅は、1704年のことである。

　その全行程を、彼女は馬で行こうというわけである。ボストン郵便道路（Boston Post Road）と呼ばれる、北のボストンと南のマンハッタンを結ぶごく原初的な道路が30年ほど前、1673年に切り開かれていた（1月22日）。

　1664年、オランダからニューヨークを奪還したイギリス本国は、ニューイングランドの海岸沿いに点在する植民地間の町村の連絡・統一をはかろうとするイギリス王の意向（Royal Charter, 1691）

で、ボストン郵便道路、King's best high-way とも呼ばれる原始的な道を切り開いた。

そこを最初に行った郵便夫が採ったルートは、南のマンハッタンから海岸沿いに進み、現在のコネティカット州ニューヘーヴンへ、その地から北に向かい内陸のハートフォードへ。次いで北のスプリングフィールドでマサチューセッツに入り、あとはもっぱら東へ向かい、ボストンに到着。

当初２週間と見積もられていた所要時間は、３週間ちかくになっていた。郵便夫がこの時カバーした実際の距離は400キロになったと言われている。

郵便夫は、各地の村落に誕生していたタバーン（tavern／居酒屋兼宿屋）に泊まり、そこで大いに歓迎された。ボストンやニューヨークなどの「都会」から離れて暮らす、ニュースに飢えた移住者たちは、「外」からの情報を歓迎した。彼らは、タバーンで郵便物や新聞雑誌を受け取っただけではない。配達夫から隣の村や町、ニューヨークなど「都会」の話を聞き、さらには国元（イギリス）の情勢を聞き出そうとした。移住者の増加に伴い、ボストン郵便道路は、1691年には、北はメインのポーツマスから南はメリーランドのボルティモアまで延伸された。

郵便配達夫は新聞をも運んだ。この年（1704）、植民地最初の本格的新聞 Boston News-Letter（第１号の日付は1704年４月17日―24日）。それ以前にも発行された「新聞」はあったが、長続きしなかった。

この表裏両面に印刷された１枚の週刊新聞を創刊したのは、スコットランドからの移住者、ボストンの書店主ジョン・キャンベル

（1653-1728）であった。彼の新聞は、1776年2月まで継続的に発行された。フィラデルフィアに新聞が誕生するのは1719年、ニューヨークはさらに遅く1725年であったから、このボストンの新聞の誕生は、ずいぶんと早かったことになる。

　一面のトップは国際ニュースで、アイルランドの清教徒たちから財産（武器と資金）を奪おうとするカトリック教国フランスの悪だくみ（要約記事）であった。

　2ページ目のローカルニュースは、新約聖書「テサロニケの信徒への手紙」に基づく、エベニーザ・ペンバートン牧師の「素晴らしい」説教であった。「兄弟たち、なおいっそう励むように勧めます。そして、私たちが命じておいたように、落ち着いた生活をし、自分の仕事に励み、自分の手で働くように努めなさい」と聖書は説いていた（佐藤優『新約聖書II』／文春新書）。牧師は、それを敷衍して語ったのであった。

　その他には、船舶の出入りや商品の動きなどが掲載されていた。最後に、キャンベル自身の広告、つまり定期購読と広告掲載のお願いがあった。

　このアメリカ最初の新聞で、後になって人気の出た記事は、黒髭（Blackbeard）というニックネームの海賊の「活躍」を報じた読み物であった。この悪名高い略奪者の名は、エドワード・ティーチ（Edward Teach／1680?-1718）。

　当初、ティーチは、英国のために働く私掠船の船長であったが、1717年、捕獲したフランス商船を改造し、40もの砲を備えた軍艦Queen Anne's Revenge に仕上げた。それに乗り込んだ黒髭は、バージニアとカロライナなどの沖で猛威を振るうようになった。大陸と鎖状列島の間にあるパムリコ湾（Pamlico Sound）、つまり、

彼にとっては自分の庭先を通過する船舶から強制的に通行料をとった。

　さらに、第２代ノースカロライナ植民地総督、チャールズ・イーデン（Charles Eden, 1673–1722）とは、戦利品分配の協定を結んだ。おかげで黒髭の海賊行為は黙認され、さらに恩赦まで与えられた。総督は、その見返りに当然のごとく賄賂を受け取った。

　しかし、黒髭の強運もそこまでで、1718年、バージニア植民地は副総督ロバート・メイナードと討伐隊を送り、黒髭を殺した。その生首は見せしめに、船首のマストに突き刺された。

　近年（mid-1990s）になって、アン女王の復讐号は発見されたが、噂されていた金塊などの略奪物は見つからなかった。黒髭の画像や戦いは以下のサイト参照。https://en.wikipedia.org/wiki/Blackbeard#/media/File:Edward_Teach_Commonly_Call'd_Black_Beard_(bw).jpg

　ボストン郵便道路を行く配達夫の２つの鞄には、上記のような読み物を載せた新聞、それに手紙類、その他雑多なものが詰め込まれていた。郵便は有料で、受取人が配達夫に支払うシステムであった。

　新しいルートも作られた。セイブルックから海岸沿いに進み、ロードアイランド（Rhode Island）のプロビデンスに至る道であった。郵便配達夫は、夏は毎週、冬は２週間に１回、ニューヨークを出発した。セイブルックまで進み、そこでボストンとプロビデンスから来た配達夫と郵袋を交換し、それぞれが今来た道を引き返した。

　1753年夏、ベンジャミン・フランクリンが、馬車に走行距離計を積み込み、海岸沿いを測量しながら走り、石でできた里程標

（milestone）や道標を各地に設けた（今も残っている所もある）。より正確な距離は、郵便料金に公正さを反映させるねらいがあった。

　しかし、ここを行く配達夫が誰しも正直者とは限らなかった。1773年、測量士がボストン郵便道路を移動中、出会うべきところで出会うべき配達夫に出会えなかったことがあった。ジョン・ハードという配達夫が配達以外の商売に精を出していたのであった。郵便配達夫の遅刻は、ナイト夫人も出発初日に経験するピンチであった。

＜ボストン Boston＞　この町は今から300年ほど前、どのようなところであったのか。イングランドでは1603年ジェームズ1世（James I / 1566–1625 / 1603–25）が即位、彼は翌年ピューリタン（Puritans清教徒＝国教会から分離しないで、そのなかに留まり、その純化 purify を図ろうとした非分離派 non-separatists）の弾圧を強化した。

　これを逃れてオランダに身を寄せていたウィリアム・ブラッドフォード（William Bradford / 1590–1657）と分離派（separatists）のウィリアム・ブルースター（William Brewster / 1567–1644）たち102名（うち女性29名）は、1620年9月、メイフラワー号でケープ・コッドに到着した（ボストンから110キロほど）。彼らはワンパノア族（ネイティブ・アメリカン / Wampanoag）の廃村で、入植に成功した（ヨーロッパ人の持ち込んだ種痘で、多くの先住民が既に亡くなっていた）。

　これら移住者のなかで、わずか41名が清教徒であった。彼らは、幸運なことに、いわば「空き地」に移り住んだのであった。

　清教徒たちは、イギリス本国の国教会の支配を逃れ、自分たち独

自の、教会と政治が一致する理想の国を、この地マサチューセッツに作ろうとした。そのため、そこでは教会の礼拝には参加が強制され、また信仰を異にする者は迫害・追放という運命に直面した（神政政治 theocracy）。

ボストンの神政政治は1691年まで続いた（その年、マサチューセッツは国王特許状を得て、メリーランド（Maryland）とプリマス（Plymouth）を併合した王領植民地になった）。

この段階で、清教徒たちは数の上では少数派であった。彼らは自分たちの信仰を守るため、実質的には強制という手段を使って、他の移住者たち、後の移住者たちを自分たちのやり方に従わせようとした。

ボストンで彼らから迫害に遭った代表的な「異端者」は、クエーカー教徒たち（Quakers）であった。彼らは、他宗派を許さないボストンから追放された。

プロビデンス植民地（Providence）を建設したのは、ボストンを追い出されたロジャー・ウィリアムズ（Roger Williams / 1603?–83）であり、ロードアイランド、コネティカット（Connecticut）などもボストンを追放された移住者たちが建設した。

ウィリアムズの考えでは、先住民の住む土地は、移住者たちのものではなく、先住民のものであり、それを移住者が奪うことは、不法侵入にあたるのであった。この考えのために、彼は、当然、ジョン・コットン牧師（1584–1652）を中心とするボストンの支配者たちと対立する立場に追われるようになった。

さらに彼は、他宗派の移住者もプロビンスに受け入れ、コットンが代表するボストンの政教一致（神権政治 theocracy）の考えを否定した。

さて、そのボストン。移住者は増え続けた。そのなかには、ゴージズ隊（Ferdinand Gorges / 1623）で新世界にやって来たブラックストーン牧師（William Blaxton (or, Blackstone / 1595–1675）も含まれていた。新世界の過酷な環境に負け、仲間の多くが本国に戻るなか（1625）、彼は数人の仲間とともにマサチューセッツに留まった（そしてリンゴ栽培に成功した）。

　1630年、この年にはさらに多くの清教徒の一団がマサチューセッツ（Massachusetts）に着いた（非分離派のジョン・ウィンスロップたち John Winthrop / 1588–1649）。生活に必要な真水を探し求める彼らが出会ったのがブラックストーンであった。彼が水を求めるウィンスロップたちを案内した地が、現在のボストンであった。

　1633年4月、その地で初代総督（Governor）の地位に収まっていたウィンスロップは、ブラックストーンに彼から取り上げた広大な土地の一部（50エーカー）を譲渡した（1エーカーは約1,224坪なので、50エーカーは換算すると612,000坪になる。東京ドームは約14,168坪、甲子園球場は約11,646坪。両者で25,814坪）。

　1630年、マサチューセッツの人口は約500人、全員が白人であった。やがて最初の教会と墓地ができ、33年6月にはボストンは3,000人以上の町に成長していた。その月だけでも14隻の船が本国からやって来た。

　34年にはサミュエル・コール（Samuel Cole / c. 1597–1666 / 67）が、最初の居酒屋兼宿屋（tavern）を作った。35年、最初の公共小学校が設けられた。読み書きを教える私塾も誕生した。翌年、後にハーバード大学になる学校が設立された。

39年には植民地に最初の印刷機が導入された。公共サービスは土地の売却が支えた。人口は1640年、8,932人に増えていた（うち黒人は150人）。1656年、クエーカー法が成立、彼らの拘禁、拷問、追放が合法化された（58年、マサチューセッツから追放されたクエーカー教徒がボストンに再び戻ると、彼らの死刑が合法的なものになっていた）。

　1635年春、ブラックストーンは、彼の土地を次にやって来た植民者たちに譲渡した。当時のイングランドでは限嗣不動産権が存在していて、土地財産は長男にその全てが遺贈されるのが普通であった。しかし、独身の彼には子供がいなかったので、当然、譲る相手もいなかった。さらに、植民者から見れば、土地は西方に際限なく存在していたのであるから、遺贈相手を長男に限る必要もまったくなかった（しかし、彼らには再移動しなければならない理由が、後に誕生することになる。食材としての動物、特に乱獲による鳥類の減少が始まるようになった）。

　もっとも彼の土地と言っても、以前は先住民のものであり、ブラックストーン牧師は先有権でそれを事実上、占有していたのにすぎない。ことわざにあるように、「早い者勝ち first come, first served」の精神で、彼は土地を使っていたのであった。

　このような考え方は、「見つけた物は自分の物 "Finders keepers; losers weepers"」という、現在の子供たちが日常的に使うフレーズにも見られる。先住民の存在を無視して西部開拓を推進した、後の自営農地法（the Homestead Act / 1862）も、このような精神に基づいていた（この法律では、開拓者に160エーカーの土地がただ同然の価格でアメリカ政府から譲渡された）。

　さて、ブラックストーン。彼はウィンスロップが土地代として

払った金で牛を買い、その群れと186冊の本と共にレホボスに移住、アボットという男が付き添った。最初期に移住したジョン・オドリン牧師がブラックストーンのボストン湾（半島）の売却について興味深い証言を残している。

その記録の一部：「私（ブラックストーン）がイングランドを飛び出したのは、国教会の司教たちのせいだった。いま、ボストンを出て行くのは清教徒たちのせいだ」と彼はピューリタンを批判した。

プリマス植民地の分離派の人たち（separatists）と違い、彼が批判したボストンの清教徒は、自分たちが理想とする「丘の上の町 "city upon a hill"」を作ろうとする性急な熱意のあまり、排他的な傾向があった。ブラックストーン牧師が批判したのは、彼らの、この独善的な態度であった（岩山太次郎編、『アメリカ文学を学ぶ人のために』、世界思想社、1987）。岩山先生は元同志社大学学長。

ブラックストーンは新天地でも国教会牧師の衣服をまとっていた。清教徒たちは、その国教会を批判して、イギリス本国を飛び出してきたのだから、彼らのあいだでは当然それが共通に見られる不満の種であった。国教会への反感は、それほど強かったのである。さらに、新しい衣服は、ボタン1つを押せば発注できる時代ではなかったのである。

あるいは、不満の種はそれだけではなかったのかもしれない。ボストンの住民たちは、旧約聖書を時として引用する彼の言葉を聞いて、快く思わなかったのかもしれない。「朝に種を蒔き 夕べに手を休めるな。うまくいくのはあれなのか、これなのか あるいは そのいずれもなのか あなたは知らないからである。」（コヘレトの言葉。第11章）。

ブラックストーン牧師は、この言葉とともに、それまで育てていたリンゴの苗木をボストンに来た清教徒たちに分け与え、その地を去った。リンゴの木が育つかどうかは住民たちにとって大きな関心事になった。

　彼（ら）は、どうしてリンゴの木に強い関心を持っていたのか。一つには、食糧の乏しい開拓地では、リンゴは栄養補給にも役だっただろうし、また故郷を思い出させるものでもあった。

　ある樹木医の見解では、「リンゴの（苗）木は寒さにも暑さにも強いが、水やりが頻繁に必要。ただし、地植えの場合、水やりは不要」で、「ビタミンなどが豊富で、健康維持には重要な食べ物」とのことだから、移住者たちにとっては、願ってもない贈り物であったのであろう。

　さらには、ひょっとすると宗教改革の祖、マーティン・ルター（Martin Luther, 1483–1546）の教えにも関連があったのかもしれない。

　ルターは、「たとえ明日世界が滅びることを知っていたとしても、私は今日リンゴの苗木を植える」という考えを持っていたと言われている（ただし、この言葉そのものをルターが発したわけではなく、彼の思想が、長い年月というフィルターを通して、人々のあいだで格言のように広まったのであった。宗教改革の祖と言うべき人物が抱いていた思想が、年月とともに人々のあいだで、このような形で広まったのであろう。http://www5f. biglobe.ne.jp/~tsuushin/ newpage16.html

　ブラックストーンは、孤独のなかで読書を愛し、それと、果樹園の世話をする人生を求めていたのであった。"I looked to have delt with my orchards and my books in undisturbed solitude."

ブラックストーンの売った土地は、ボストン・コモン（Boston Common / 1634）と名付けられ、近くに住む人たちの共同牧草地（後に公園）になった。

　彼の向かった先は、1636年、マサチューセッツを追放されたロジャー・ウィリアムズ（Roger Williams / 1603?–83）が落ち着いた場所、ロードアイランドのレホボス（Rehoboth）であった。1659年、ブラックストーン牧師は、未亡人のサラ・スティーブンソンと結婚、彼は64歳、サラは34歳（既に6人を出産していた）。男の子ジョン（1660–1743）が誕生し、ブラックストーンは父親になった。

　1673年、サラが亡くなった。牧師は2年後、それに続いた。ロジャー・ウィリアムズ牧師は、コネティカット総督のジョン・ウィンスロップ（1606–76 / 父親のマサチューセッツ湾植民地初代総督と同名）に、次のように書き送った。「あなたの長年の知り合い、ブラックストーン氏が2週間ほど前に亡くなりました。80歳。死の4日前、胸、背中、腸がとても痛むと訴えましたが、しばらくして大丈夫だ、痛みは消えた、生きるのだと言いました。やがて、呼吸が弱くなり、苦しむことなく亡くなりました」。ウィリアムズ牧師は、故人の長年の友人であった。

　ブラックストーンの膨大な蔵書は、大学に寄贈されることはなかった。残念なことだが、フィリップ王（Metacom / 1638–76）との戦争（1675–76）で焼き払われてしまったのであった。王の首は、みせしめのため、プリマス砦のポールに25年間、さらされたと伝えられている。

1651年、ボストンである裁判が結審した。この裁判の被告はとても美しい女性、メアリー・ブリス・パーソンズ（Mary Bliss Parsons）であった。彼女は1627（28？）年、イングランドで生まれ、1646年、両親とコネティカットのハートフォード（Hartford）に移住した。トーマス・フッカー（Thomas Hooker, 1586?–1647）牧師率いる開拓団に加わったと言われている。メアリーはそこで1646年、毛皮交易商人・ジョセフ・パーソンズ（Joseph Parsons）と結婚した。その時点で、彼は既に小売店を開き、製材所や製粉所を所有していた。つまり、彼は移住者の夢を実現していた成功者であった。

　夫婦はのちにマサチューセッツ植民地のスプリングフィールドに引っ越した。1655年、ジョセフは、コネティカット川に面した大きな土地を先住民から「購入」した（やがて当地は発展してノーサンプトン Northamton になる）。彼の成功が、新婚夫婦に幸運をもたらすと共に、不運も呼ぶことになった。

　ジョセフは、マサチューセッツ植民地のスプリングフィールドやボストンなどでも不動産を手に入れた（ちなみに、スプリングフィールドは、名門女子大学スミス・カレッジ Smith College の所在地。同大学の開学は同志社と同じ1875年）。

　ジョセフは、開拓地の中心にタバーン（居酒屋）を経営する許可証を獲得（1661）した。夫婦は100人くらいに成長した町の中心にいた。やがて、彼のタバーンに集まる人々のあいだで、町に教会と集会所を兼ねた公会堂（meeting house）建設の話が持ち上がった。

　しかし、移住者みんながパーソンズ夫妻と同じように幸運であったわけではない。パーソンズ家の隣人、ブリッジマンも彼らと同じ

くハートフォードで結婚、スプリングフィールド経由でノーサンプトンに落ち着いた。しばらくして、メアリー・パーソンズに息子が誕生した（町のイギリス移民最初の子供）。同じ頃、サラ・ブリッジマンにも男の子が生まれたが、2週間後に亡くなった。その原因は、「メアリーの呪術」であると、サラと夫のジェイムズは話し、その噂は町中の話題になった。

　メアリー・パーソンズの成功を妬む村人は少なくなかった。メアリーが、かつて夜になると、池の上を下着姿で歩くのを見たというサラの友だちもいた（しかも、不思議なことに、その下着 shift は濡れていなかった！）。こういった噂がノーサンプトンにまでついて回って来た。(shift は身につけている衣服のなかで、最も下のもので、皮膚に直接触れていた。スリップ、シュミーズ)。

　ジョセフ・パーソンズは妻の名誉を守るため、治安判事裁判所（Magistrates' Court）に訴え出た（1656年10月 / 虚偽の宣伝）。メアリーは魔女だと、ブリッジマンが住民に広めているが、事実ではないというのがジョセフの言い分であった。

　メアリー（原告）の成功を妬む人々のあいだで、そのような噂は確かに流れていたと証言する者も見られた。実際、彼女はスプリングフィールドにいた頃、別の裁判で、奇妙な声をだして騒ぐ幼い女の子2人を見て、彼女自身も大声をあげ、自分の首を絞め、床を転げ回ったことがあった。この時の裁判の被告の名も、メアリー・パーソンズ、ただし、我々のメアリー・パーソンズとは別人であったと考えられている。前者のミドル・ネームはルイス（Mary Lewis Parsons）であり、後者はブリス（Mary Bliss Parsons）であったからである。前者には、死刑判決が下された（しかし、おそらく病気のため、留置所で亡くなったと考えられている）。

判決は、被告・ブリッジマンにノーサンプトンで、次いでスプリングフィールドの公共の場で、謝罪し、罰金と裁判の費用の支払いを命じた。しかし、これにて一件落着とはいかなかった。両家の確執は、ここで終わらなかったのである。

　メアリーが美貌の持ち主であったことは前述した。さらに、彼女の夫は、誰もがうらやむ財産を築き上げていた。彼女は出産という点でも恵まれていた。17世紀、出産時に命を落とす母親は多く、また乳幼児の生存率も低かった。そのような時代に、メアリーは2年ごとに妊娠を繰り返し、双子2組を含む11人の子供の母親になった（最初の6人は男の子 / うち9人が成人になった）。これらのすべてが近隣の移住者に嫉妬という名の種を植えた。

　彼女が、「非常に美しく、才能にも恵まれていた」のは、おそらく事実であろう。しかし、「気立てがいい」とはとても言えなかったようで、そのため、友だちも限られていた。その仲間は、「排他的」であったと言われている。

　最初の裁判から20年ほどの時が過ぎた。1674年9月、サラ・ブリッジマンの娘（Mary Bartlett）が亡くなった。彼女の夫が訴え出た。彼の妻は、「普通ではない、異常な手段、つまり、＜悪魔の手による道具で＞亡くなった」という内容であった。彼の考えでは、メアリー・パーソンズこそが、その＜道具＞であった。

　翌年1月5日、治安判事の命令で女たちがメアリーの体に、「魔女の噛み痕 witches' marks」があるかどうかを調べた。3月、裁判所はメアリーをボストンの拘置所に送った。彼女は10週間そこに拘留され、補佐官裁判所（Court of Assistants）の判決を待つことになった。5月13日、12人の陪審団はメアリーが無罪であると

評決した（結果は同じであるが、資料によって年月日の異なるものもある）。彼女は急いで自宅に帰った（彼女の最後の子供は、まだ２歳であった）。

　裁判から数年後、パーソンズ家はノーサンプトンを出て、スプリングフィールドに戻った。しかし、噂がついて回って来た。メアリーの孫に、「おまえの祖母は魔女だ」とささやく者がいたのである。これら２つの町は30キロほどしか離れていない。

　メアリーの夫は1683年に亡くなった。10年後、同じマサチューセッツの港町であった「セーレムの魔女裁判」（Salem witchcraft trials / 1692）では、200人以上の新天地移住者が逮捕され、150人が投獄された。55人が拷問で自白を迫られ、19人が絞首刑になった。その裁判官のなかには、メアリーの裁判に関与していた次の面々も含まれていた。https://www.cbcj.catholic.jp/catholic/saintbeato/kibe187/kyoto/

　トーマス・ダンフォース（Thomas Danforth）、サイモン・ブラッドストリート（Simon Bradstreet）、ウィリアム・ストートン（William Stoughton / 首席判事）、ジョン・レベレット（John Leverett, 1616−1679 / 総督）。

　この魔女裁判については、拙著『ゴールドラッシュの恋人たち』の、「12　北の植民地（その２）「恥辱と血糊は消えるものではない」を参照されたい。

　メアリー・パーソンズは1712年１月に亡くなった。84歳であった。

　メアリーの魔女裁判に関しては、Malcolm Gaskill, *The Ruin of*

All Witches: Life and Death in the New World, Penguin Books, 2021が参考になるだろう。その抜粋は次のサイトにある。https://www.unseenhistories.com/the-ruin-of-all-witches-malcolm-gaskill

　1700年、ボストンの人口は55,941人（黒人800人を含む）。同年のニューヨークには19,107人（黒人2,256人を含む）が住んでいたと推定される。まだボストンが人口１位を維持していた時代であった。Thomas L. Purvis, *Colonial America to 1763*, New York, Facts On File, Inc., 1999.

　植民地時代のボストンでは、正確で定期的な人口調査はなされなかった。それは、住民に番号をつけ、計算するのは、不幸をもたらすという迷信（旧約聖書サムエル記）があったこと、２つ目には人口調査の持つ行政上のメリットが十分に理解されていなかった点にあった。ダビデの人口調査については、下記参照。

https://www.biblegateway.com/passage/?search=%E3%82%B5%E3%83%A0%E3%82%A8%E3%83%AB%E8%A8%98%E2%85%A1%2024&version=JLB

　東海岸に散在する13植民地全体の人口は332,000人で、大英帝国全体の３％に過ぎなかった（1710年）。

　その頃、ボストンに住んでいたシューアル牧師（Samuel Sewall / 1652–1730）は、克明な日記をつけていた（M. Halsey Thomas, ed., *the Diary of Samuel Sewall*, Harper, Straus and Giroux, New York, 1973）。そのなかに、ナイト夫人が出発した２日後の記載がある。

1704年10月4日　月曜日。「デダムに行った。ダン・オリバー氏と講義。N・ホバート氏が町の手前2マイルのところで私たちと落ち合う。ジュディスを訪ねる。講義：叡知が最重要。恩寵は至福の芽、至福は恩寵の満開。ベルチャー氏と食事。夕刻7時頃帰宅」。
　ジュディス（Judith Sewall, 1701–1740）は、シューアルの娘。最初の娘も同名であったが、夭折した。

　ナイト夫人は、前述したように、デダムに向けて馬で出発した。ボストンからデダムまでは約18キロ。
　シューアル牧師の日記を続けると、3週間ほど前の9月12日、未亡人の「タッティル夫人が、床に設置されたトラップドア（跳ね上げ戸）から地下貯蔵庫に落下、右腿を骨折」。この日、コットン・マザー牧師（Cotton Mather / 1663–1728）は、ハーバードや他の学校のためにお祈りを捧げた。シューアルは同じ日にあった、イジーキエル・ルイスと未亡人アビゲイル・キルカップの結婚式も記録している。
　19日、タッティル夫人が亡くなった。14日の記録：「ウィリアム・ハバード氏、講義に出席、アップルトン氏宅へ、彼はその後、帰宅し夕食。その夜、亡くなった」。この時、ハバード氏はハーバード第一期生唯一の生存者であった。
　21日には、タッティル夫人の葬式。シューアルもコットン・マザーも参列（コットンは、後に（1692）、セーレムの魔女裁判で、悪名高い存在になる教会指導者であった。また、シューアルもその裁判の判事の1人で、後に自分の過ちを謝罪した）。13日、教会の助祭ダイアーが落馬して死亡。
　このような死亡と結婚・再婚がボストンで続く。我々は、シュー

アルのように、それを記録した人がいたので、追体験をすることが
できる。

<ニューヘーヴン New-Haven> 1701年、コネティカットにエー
ル大学が誕生した。ナイト夫人の旅に先立つこと3年である。
ニューヘーヴンは、その大学の所在地。この地からニューヨークま
では約110キロメートル。現在ではニューヨーク都市圏の一部と考
えられるほどニューヨーク市に近い。

　当初、オランダ人たちが、ここの先住民であるクウイニピアク族
（Quinnipiac）とビーバーの毛皮交易に関心を持ったが、取引は
長続きしなかった。1638年（1640年か）、419名の移住者たちがボ
ストンから南西200キロの当地に移り、ニューヘーヴンと命名して
開拓を始めた。

　その時の指導者はロンドンで既に成功していた商人セオフィラ
ス・イートン（Theophilus Eaton）で、彼の家族は6人と記録さ
れている。その項目の下に、サミュエル・イートン Samuel Eaton
の名があり、人数の記録は2人（サミュエルの兄弟。結婚して分家
したのか）。

　たいていの移住者の家は平屋で、尖った屋根の下に菱形の窓があ
り、石造りの頑丈な暖炉があった。イートン家は例外で、その屋敷
を平面図にすると、家族の姓 Eaton の頭文字 E の形で、真ん中の
横棒の部分が玄関入り口とホールであった。この大きな2階建ての
建物の部屋数は21、そのそれぞれに暖炉があった。セオフィラ
ス・イートンは1643年、ニューヘーヴンの総督に選ばれた。

　その年、ニューヘーヴンは安全を確保するため、マサチューセッ
ツ、プリマス、コネティカットと連合を組んだ。先住民（Indians

／ native Americans) との関係を規制し、いざという場合には各植民地は兵を提供する取り決めになった（マサチューセッツ100人、他の植民地はそれぞれ45人）。

16歳から60歳までの男性にはマスケット銃、剣、火薬450グラム、火打ち石、火縄、ピストル用弾丸24発が支給され、また、年に6日が軍事訓練に当てられるようになった（日程は1回を除いて同じ月に「重ならないように」決められた）。さらに、3カ月ごとに閲兵式があり、各植民地は大砲、火薬45キロ、銃弾180キロ分を備蓄するように命令された。

礼拝堂と集会所を兼ねた建物（meeting house）が1641年に建てられた。それは尖った屋根のある2階建てで、先住民の動きを見張るための小塔もあった。そこの太鼓は日曜日には礼拝を知らせた。それ以外の日に太鼓が鳴ると、タウンミーティング（town meeting）の知らせであった。教会には、牧師、教師、長老たち、助祭たちが必要で、ニューヘーヴンではイートン総督の弟サミュエルが最初の教師を務めた。

1657年、世俗化の進むボストンでは、教会員の数を維持するため、新しい制度が採り入れられた。宗教的動機よりも経済的利益を目的とする移住者が増え、そのため教会の権威が揺らぎ始めていた。教会員の数を増やし、また逸脱した傾向を糺すため、子供たちの幼児洗礼が認められるようになった（Half-Way Covenant 半途契約）。

ニューヘーヴンでも教会の権威が揺らぎだしたのか、犬を礼拝に連れてくる不届き者も見られるようになった（これは1665年に罰金を課すことにして、一件落着）。その3年後、ニューヘーヴンのミーティングハウス（集会所兼教会）の建て替えが決まった。教会の記録と町の記録は、1714年になるまで同じ1冊の記録簿に記さ

れていた（つまり、それまでは信仰と行政が分離されていなかった）。

1692年、ボストンから40キロ、ニューヘーヴンから70キロほど離れたセーレムで魔女裁判が始まった。神政政治の揺らぐ影響下、19人が絞首刑になったことは前述した。シューアルも裁判官の1人であった。

1701年、後もエール大学に成長する学校を創設するため、組合派教会の有力者10人が多くの本を寄付した。それを基本に、エリート階級の子息や将来の指導者を育てるための教育が、ピアソン牧師の家で始まった。そこで学ぶエリートの若者は、トランプ遊びや居酒屋への出入りが禁止された（ということは、どういう意味か）。先生に対する反抗には罰則があった（ということは、どういう意味か）。

その所在地は、海岸沿いの東に位置するセイブルックなどに変わることもあったが、最終的にはニューヘーヴンに定着した（1716）。

その頃、ハーバードでは、リベラル派の教師たちと第6代学長インクリース・マザー（1639–1723 / コットン・マザーの子）のあいだに対立が芽生えていた。マザーは、これまでどおりの清教徒たちの信仰を守るため、別の新しい学校の建設に取りかかった。ボストン生まれで商人として成功していたイライヒュウ・エール（Elihu Yale）に援助を頼み、大きな物質的援助を得て、後のエール大学の原型が誕生した（エールの援助には417冊の本も含まれていた）。

しかし、後にこれが倫理的問題につながることになる。この男・エールは、奴隷貿易にも従事していたからであった。実際、1999年、エール大学は誕生350周年を迎えたが、アメリカン・ヘリテッ

ジ誌は、「イライヒュウ・エールはアメリカ史で過大評価された最悪の慈善家」と評し、本当の名誉は、別の慈善家ジェレマイア・ダマ（Jeremiah Dummer）に与えられるべきだと指摘した。しかし、エール大学の理事会はその提案に従わなかった（彼らが、Dummerという音とその意味を嫌ったのであろうことは容易に想像できる）。

　彼の奴隷貿易が、エール大学にとって＜すねの傷＞になった。

　考えてみれば、より古いハーバードも＜すねの傷＞から誕生したと言えなくもない。ボストンのクエーカー教徒の迫害と死刑の歴史で、5人目の被害者になりかねなかったのが、アン・ハチンソン（Anne Hutchinson, 1591–1643）であった。彼女の裁判では、裁く方が彼女の雄弁に打ち負かされることがしばしばであった。彼女の神学的教養と弁舌が、ボストンを支配していた牧師たちのそれに勝っていたのである（すねの傷）。

　その＜すねの傷＞を治すために誕生したのが、ハーバードであった。つまり、裁判での屈辱と反省、子孫の教育機会の欠如への懸念から、ボストンの指導者たちは高等教育の必要性に目覚め、それがハーバード創設につながったというわけである。このようにして図らずもアン・ハチンソンが、後にハーバード大学になる学校の創設をうながす役割を演じたのであった。正に歴史の皮肉であった。

　こうした古い大学の創設に関して言及されるのが、某氏誰々の蔵書の寄贈である。エールにしろ、ハーバードにしろ、勉学の基本はその初期から蔵書にあった。大学は、牧師とその寄贈図書で始まったと言っても過言ではないだろう（日本では、学校の役割を寺子屋が担った）。書物を読み、それを前提にして、討論をするというスタイルは、現在のアメリカの大学で見られる伝統的特徴である。

同志社大学からアーモスト・カレッジ（Amherst College）に留学された（1954-57）榊原胖夫<ruby>胖<rt>やす</rt></ruby><ruby>夫<rt>お</rt></ruby>先生は、留学当時、同志社大学・経済学部修士課程（研究科）を終え、経済学部助手という立場であった。アメリカ留学当初は、課題として指定される読書量の多さに驚き、また苦労を強いられた。

　夏休み中のアーモストに着くと、指導教員は、「僕の同志社での研究と同志社の経済学の教え方をたずね、第１学期に経済学概論の講義をうけて、今までの知識を総括的にまとめることをすすめ、すぐカークランドの『米国経済史』とテーラー自身の『交通革命』を示して、学校がはじまるまでに読んでしまうようにと言いました。すぐ図書館で借りました」。

　両書で1000頁以上もあり、「あと10日以内で読めるか」と榊原先生は心配されています。これが、先生の苦難の始まりであった。

　「本間君や高木君に聞くと、東大のアメリカ史の授業には、１学期に1000頁以上の英語の本のアサイメント（宿題）があるそうです。関西で、僕が自分でさがして自分でやらなければならなかったことを、高木君や本間君はより総括的に、より体系的に習っていたのです。（中略）事実、グリーン先生が驚いたほど高木君や本間君は広く読んでいました。同志社もうんと勉強しないと東大にすらはるかに、はるかにおくれています」。

　アサイメントのプレッシャーがこんな調子なので、榊原先生は大学近くに歩いて行ける距離に、詩人エミリー・ディキンソン（Emily Dickinson, 1830–86）博物館があったのに、訪れる機会もなかったのではないだろうか。

　先生は、アーモストとハーバードでの艱難辛苦の３年後に帰国、同志社大学（院）で教鞭をとる傍ら、日本アメリカ学会の会長も務

められた（1988–90年）。前任者は、東京大学の「本間君」、つまり本間長世教授であった。

　この学会の第３代会長は、同志社大学の上野直蔵教授（1968–70年）で、京都関係では他に立命館大学の長田豊臣教授が会長職を務められた（2002–04年）。

　詩人のロバート・フロスト（1874–1963年）は、アーモスト大学の教授であった。時期的には、榊原先生の留学時と重なるが、両者は出会ったことがあったのだろうか。先生著の『アーモストからの手紙』（御茶の水書房、2002年）には言及されていない。

＜マイル mile＞　１マイルは約1.6キロメートル。１フィートは約30センチ。アメリカは今もメートル法を採用していない世界でもまれな国。

＜デダム Dedham＞　1642年、この町の町民議会 town meeting は公有地を３分割して①学校、②教会、③軍事訓練用グラウンドに使うことを決めた。巡礼始祖（Pilgrim Fathers）を乗せたメイフラワー号が新大陸に着いたのが1620年（11月９日）であることを考えると、ずいぶん早い動きである。

　２年後、町民議会は公共の学校を税金で建てることを全員一致で決めた（アメリカ最初の公立学校）。子供たちは、夏には７時から５時まで、冬は８時から４時まで街の中心に作られた学校に通った。人口が増えると、学校（の先生）が新開地を巡回するようになった。

　他方、学校がないところでは、女性の先生が読み書きを教えるデームスクール（dame school）が自然発生的に生まれた。たいていの場合、授業は先生の自宅で行われた。先生役は多くの場合、生

活が困難な未亡人、未婚女性、収入を増やしたい若い女性が受け
持った（彼女たちはデーム、マダムと呼ばれた）。

　授業では聖書、礼拝用の詩編集、入門書、ホーンブック（horn-
book / https://upload.wikimedia.org/wikipedia/commons/8/8f/
Campion-ornbook.jpg）が使われた。

　4つの R＝Reading, Writing, Arithmetic, and Religion つまり、
読み・書き・算数と宗教が教えられた。神政政治の植民地では、聖
書を読む必要が強かったので、「読み」に重点がおかれた。女の子
は編み物や刺繍を習うこともあった。

　デームスクールの授業料は安く、生徒1人につき年あたり数シリ
ングであった（17世紀中頃の物価では、パン1斤が9シリング）。
一説では、パン1斤は当時の熟練工や商店主などの2日分の稼ぎに
相当した。ボストンなどニューイングランドでデームスクールがさ
かんであったのは、その地の女性の教育レベルが比較的に高かった
ためである。

　前述のように、マサチューセッツは1642年、初等教育を義務化、
さらに47年には家族数が50を超えるタウンには読み書きを教える
教師1人を配置、100家族以上のところでは中等教育レベルの公立
学校の設置を義務づけた。悪魔に欺されないように聖書を読み、理
論武装しておかなければならないという発想は、マサチューセッツ
では強く、この考えはロードアイランドを除くニューイングランド
中に広まった（Old Deluder Satan Act / 悪魔法）。ここでの基礎
教育が将来ハーバードで学ぶ場合、必要であることも強調された。

　ナイト夫人がデダムを訪れたのは1704年であるが、その4年前
の人口は700〜750人、ハーバードが創設された1636年には1,200

人に増えていた。ボストンの10月は季候も比較的良く、平均温度は8〜16度（京都は13〜23度）。2022年のように、例外的な異常天候に見舞われることもあるが、1704年がそういう年であったことを示す記述はない。

★1704年10月2日　月曜日　午後3時ごろ、私はボストンからニューヘーブンまでの旅に出発しました。200キロほどの距離です。親族のロバート・ルイスト大尉がデダムまで同行、私はそこで西行きの郵便配達夫と落ち合う予定です。

====== = I visited the Reverd. Mr. Belcher, ye Minister of ye town, and tarried there till evening, in hopes ye post would come along. But he not coming, I resolved to go to Billingses where he used to lodge, being 12 miles further. But being ignorant of the way, Madm Billings, seing no persuations of her good spouses or hers could prevail with me to Lodg there that night, Very kindly went with me to ye Tavern,

＜ベルチャー Joseph Belcher（1669–1723）＞　1693年からデダムの牧師。彼は、1721年に病気になるまで当地で説教を続けた。
　ベルチャー夫人の帰り道は、まだ明るかったのだろうか。時はすでに10月である。牧師夫人がナイトを案内したのは居酒屋で、それは the tavern と記されているだけである。

＜ビリングズ Billings＞　原文ではスペルが Billingses となっている（経営者の家族を表しているのか）。ビリングズは、ボストンの

ダウンタウンから南西へ27キロの町。1635年、この地のインディアン・トレール（Indian trail。後のポストロード＝郵便集配順路）に、最初の粗雑な建物が移動する人々のために作られた。1657年、ウエイマンの宿が建てられた（しかし、宿の主人の隣人と言えば、先住民であるインディアンと、森に潜む野獣くらいであった）。

1661年、周辺に移住者が増えたが、それでも家族数は30以下であった。1675年、この地の洞窟で先住民のキング・フィリップ（Metacom）と部族が集まり、イギリス人に対する蜂起の計画を練った。

その結果の戦いが、キング・フィリップ戦争（King Philip's War / 1675-76）で、そのコストをまかなうために移住者たちの税金が高くなった。それを嫌って新しい土地に移動する人が増えた。

この戦争に植民地側はかろうじて勝利を収めたが、被害も大きかった（その1つ、「死よりも過酷な運命」が、牧師の妻メアリー・ローランドソンを襲った（A True History of the Captivity and Restoration of Mrs. Mary Rowlandson, in *Journeys in New World: Early American Women's Narratives*, William L. Andrews, ed., the University of Wisconsin Press, 1990）。

1674年頃、ボストンとその南約66キロにあるロードアイランドのプロビデンスの中間点、ウエイマンの宿の南東に、経営者の名のついたビリングズ・タバーンが開設された。彼は先住民と良好な関係を築いた。そのおかげで、近隣の移住者はこの安全な場所に住むことができるようになった。

経営者ウィリアム・ビリングズは、1712年、あるいはその翌年の3月16日に亡くなった。彼は遺書を残していた。「年相応の健康

な体と完全な知力と記憶力を持っている私は、正当な借金および葬
儀費用が支払われた後、次の者に以下に記すものを与える」。繰り
返しになるが、1エーカー acre は4,046 m²（1,224坪）。

愛する妻メアリー：［タバーンではなく］自宅にある家具家財、雌
馬、不動産の3分の1、住居内の1室と地下室。息子のウィリアム、
娘のリディアに与えるものを除いて、私の所有する全ての土地。

　リディア：彼女が今住んでいる100エーカー以上の土地と5ポン
　ド。

　マーシー：15ポンドのみ。

　娘のアビゲールの娘たち4人：それぞれ5ポンド。

　娘のドリティ：10ポンド。

　娘のペースアン：15ポンド。

　孫のベリア：15ポンド。ただし、成年になるまで私、あるいは
　私の妻の下にいること。

　孫娘メアリー・キーセズ：10ポンド。

　私の「愛する息子エベニーザー」：私の［所有するタバーン
　の？］土地、品物、動産、その他すべて。

　1693年、最初の郵便がこの地を通ってボストンに運ばれた。「愛
する息子エベニーザー」は1718年1月28日、埋葬されたと、
シューアルが記録している。

　ナイト夫人の原文では「ベルチャー夫人」とすべきところが、
「ビリングズ夫人」になっている。地名と混同したのであろうか。

★この町の牧師であるベルチャー師を訪問、郵便夫が来ないものか

とぐずぐずして、夕方までの長い滞在になってしまいました。彼が姿を現さないので、12マイルほど先の郵便夫がよく泊まっているビリングズに向かうことにしました。その夜は私たちのところに泊まればいいと、夫人やご主人がおっしゃってくださったのですが、私の決意が堅いのをみて、道不案内の私のために、親切なご夫人が居酒屋まで同行してくださいました。

====== = where I hoped to get my guide, And desired the Hostess to inquire of her guests whether any of them would go with mee. But they, being tyed by the Lipps to a pewter engine, scarcely allowed themselves time to say what clownish . . . . [here half a page of the MS. Is gone] . . . . Pieces of eight, I told her no, I would not be accessary to such extortion.

＜8レアル銀貨 pieces of eight＞　硬貨不足の新大陸では、スペインの貨幣が使われていた。その代表格。そのまま使われるより細かく切ったものが、普通に使われていた。ここでは、その切ったもの数枚（1枚の1/4や1/8）。18世紀初頭、おおまかに言って8レアル銀貨（1ピースオブエイト / 直径は約4センチ）は、今の50ドルくらいの価値があったと思われる。
　18世紀の植民地労働者は、現在の10ドルほどの日当で働いていた。成人奴隷（男）の価格は100 pieces of eight、つまり5,000ドル程度で、牛1頭は200ドルから250ドルであった。マスケット銃は250〜600ドル、ラム酒は1ガロン（約4リットル）あたり約40ドル。これらは非常におおまかな数字である。

★そこ［居酒屋］でガイドを見つけることができればいいと、私は望んでいました。ここの泊まり客のなかに、私に同行してくれる者がいるかどうか、女将に訊いてもらいたいと願っていました。でも、彼ら［飲み助の客たち］のくちびるは、錫製の器が持つ牽引力に負け、戯言をつぶやくことさえできない有様でした…　［原注：ここで原文の半ページが消失している］　8レアル銀貨ですって、そんなものではとても無理ですよと私は彼女に伝えました。そのような法外な要求には、とても応じられるものではありません。

====== = Then John shan't go, sais shee. No, indeed, shan't hee; And held forth at that rate a long time, that I began to fear I was got among the Quaking tribe, beleeving not a Limbertong'd sister among them could outdo Madm. Hostes.

＜錫製の器 a pewter engine＞　アルコール類を入れる容器。容易に割れるガラス類は高くつくのであろう。

＜クエーカーの連中 Quakers＞　キリスト教の一派。この派の創始者、ジョージ・フォックス（George Fox / 1624-91）は、彼の新しい信仰のために何回も投獄され、その際に裁判官に向かって、「主の言葉に震えろ Tremble at the word of the Lord」と言ったことから、quake する人、つまり Quaker という名称が生まれた。Tremble も quake も「震える」。

　クエーカー教徒は、世俗的権威を恐れることなく、思うところを発言したので、教会の権威に従順な当時の普通の人々から見れば、恐るべき存在であったのだろう。ナイト夫人もそうした「普通の

人々」に属していたと思われる。

　フォックスは、「まことの光があった。その光は世に来て、すべての人を照らすのである」という新約聖書の一節（ヨハネによる福音書1章9節 / https://www.bible.com/bible/compare/JHN.1.9）を引いて、誰もが内なる光 inner light を持っていて、それを使えば他の媒体＜組織や人＞を通さないで、直接、神との交信が可能であると説いていた。組織や人を、教会と牧師と読み替えれば、フォックスとボストンの指導者との対立構造がよく理解できるだろう。

　クエーカー教徒のこのような新しい解釈が、ボストンの清教徒たちとのあいだで論争を呼ぶのは、当然のことであった。その論争が、少数派と多数派の対立を生み、さらには多数派による少数派の迫害につながった。

　クエーカー教徒には、いわゆる教会というものはない。また、彼らが言うように、神と直接話すことが可能であれば、聖書もそれほどの重要性を持つわけがなかった。さらに、彼らの考えでは、人は誰しも平等であるので、例えば、権威に対して帽子をとったり、頭を下げる社会的儀礼は、可能な限り省かれた。つまり、フォックスの考えでは、牧師を見かけても、帽子をとったり、頭を下げる必要はなかったのであった。牧師の権威を示す黒い衣服も不必要であった。

　さらに、クエーカー教徒の考えでは、女性は男性と対等であった。彼らは平和主義者であり、皮膚の色の違いによる差別を否定し、奴隷は解放されるべきだと信じていた。クエーカーには人間の作ったもの（教会、牧師、その衣服、奴隷制など）は必要でなかった。必要であったのは「まことの光」であった。

次に見る映画『真昼の決闘 High Noon / 1952』の会話は、武器を使わないクエーカー教徒の心情をよく表している。Amy はクエーカー教徒で、Helen はカトリックである。

Amy: "I've heard guns.　My father and my brother were killed by guns.　They were on the right side but that didn't help them any when the shooting started.　My brother was nineteen.　I watched him die.　That's when I became a Quaker.　I don't care who's right or who's wrong.　There's got to be some better way for people to live.　[my fiancé] Will [Kane] knows how I feel about it."
Helen: "I hate this town.　I always hated it -- to be a Mexican woman in a town like this."
Amy: "I understand."
Helen: "You do?　That's good.　I don't understand you.　No matter what you say.　If Kane was my man, I'd never leave him like this.　I'd get a gun.　I'd fight."
Amy: "Why don't you?"
Helen: "He is not my man.　He's yours."

　また、映画『友情ある説得 Friendly Persuasion / 1956』も、クエーカー教徒の理解を助けてくれるだろう。この作品は南北戦争 (the Civil War, 1861–65) に巻き込まれたクエーカー教徒の青年を描いている。
　クエーカー教徒同士は信者仲間を friend と呼ぶ。彼らは牧師職

と教会に払う十分の一税（tithe）の廃止、奪うことのできない権利として良心の自由、国家と教会の分離を主張した。信徒の礼拝は黙想とその中で生まれる時折の自発的説教に限られている。さらに、信者は宣誓も徴兵も否定した。

　ここボストンのピューリタンとその教会は、一方では旧教（カトリック）の改革を中途半端に終えた本国の教会に不満を抱き、他方ではクエーカー教徒たちの新しい宗教観について行けなかった。清教徒たちは、クエーカー教徒たちの新しい考え方を否定するだけでなく、彼らを異端とみなし、取り締まる法律を作った。「普通の人」であったナイト夫人は「異端者」を恐れていたのであった。

　異端者と言えば、アーミッシュ（the Amish）もそうだろう。彼らの生活は、映画『刑事ジョン・ブック目撃者 the Witness / 1985』で知ることができる。文献では、大河原眞美『裁判からみたアメリカ社会』（明石書店、1998）が参考になる。

★それではジョンを行かせるわけにはいかないと女将が言います。そう、本当に駄目だと繰り返すのです。そんな調子で、この宿の女将が長々と言いつのるので、私は彼女ほど弁のたつ女性はいないと思い、また、クエーカーの連中のなかにまぎれ込んでしまったのではないかと不安になりました。

====== = Upon this to my no small surprise, son John arrose, and gravely demanded what I would give him to go with me? Give you, sais I, are you John?　Yes, says he, for want of a Better; And behold! This John look't as old as my Host, and perhaps had bin a man in the last Century.　Well, Mr. John,

48

sais I, make your demands. Why, half a pss. of eight and a dram, sais John. I agreed, and gave him a Dram (now) in hand to bind the bargain.

＜前世紀 in the last century＞　ナイト夫人の旅は1704年であるから、「前世紀」はいわばつい先日のことである。

＜bin＞　been.　発音通り綴ると、bin となる。辞書で調べると、２種類の発音記号が記載されているが、今では実際に使われているのは bean ではなく、bin であろう。参照：https://ej.alc.co.jp/entry/20210331-salahgym-03

＜もう少しましな応答のしようがあろうものだが for want of a Better＞　私のようなレディに向かって失礼な、とでも思ったのか。

　そのとき、驚いたことに女将の息子、ジョンが立ち上がると真剣な面持ちで、案内をすれば、いくらもらえるんだと私にたずねました。あげますとも、と私。あなたはジョンなの？　うん、と彼。もう少しましな応答のしようがあろうものだが、驚いたことに、このジョンは女将と同じくらい老けて見えました。前世紀には一人前の男であったのであろうが。で、ジョンさん、あなたはいくら欲しいの、と私。８レアル銀貨の半分と一杯の酒、とジョン。私はそこで手を打ち、彼に（その場で）一杯持たせ、契約をかわしました。

====== = My hostess catechise'd John for going so cheap, saying his poor wife would break her heart . . .［Here another half page of the M.S. is gone.] . . . His shade on his Hors resembled a Globe on a Gate post. His habitt, Horse and furniture, its locks and goings Incomaparably answered the rest.

女将は、そんな安い料金では、あんたの奥さんが泣くわよと彼を非難しました… ［原注：ここで再びオリジナルの半ページが消失している］ 彼の馬のシェード（日よけ）は、よく見かける門柱にある地球儀に形が似ていました。彼の服装、馬と馬具、その見栄えや歩みを少しでも見れば、他のすべてのことは見当がつくというものです。

====== = Thus jogging on with an easy pace, my Guide telling mee it was dangero's to Ride hard in the Night, (whch his hors had the sence to avoid,) Hee entertained me with the Adventurs he had passed by late Rideing, and eminent Dangers he had escaped, so that, Remembring the Hero's in Parismus and the Knight of the Oracle, I didn't know but I had mett wth a Prince disguis'd.

＜夜間の強行軍 to Ride hard on the Night＞ 夜間の強行軍が危険であると感じられたのは、お姫様座りのせいだけではない（そうしていたかどうかは、はっきりしないが）。当地は、つい数十年前まで先住民との戦いが繰り返された場所であった。その主なものが、ピークオート戦争（Pequot War, 1637）と、フィリップ王の戦争（King Philip's War, 1675–76）であった。

50

先住民のピークオート族（the Pequot）は、コネティカット川河口付近に15から20ほどの部落を作り、そこに8,000人ほどが定住していた。新大陸に着いたオランダ人たちは、1632年、今のコネティカット州ハートフォードに砦（Fort Good Hope）を建設し、ピークオート族と毛皮交易を初めていた。そこへ1630年代になって、大挙してイギリス人たちが移住してきた。

　1633–34年に天然痘が流行したため、ピークオート族の居住者数は半減した。さらに、オランダとの交易を求める他部族との競争が激しくなり、ピークオート族は駆け引き、強制、部族間結婚などの手段を使って、交易の独占と利益を確保しようとした。そのため、時には部族間の戦争が起こっていた。

　そのような時、マサチューセッツ湾植民地に衝撃が走った。交易業者ジョン・ストーンと仲間の船乗りがピークオート族に殺されたのであった（1634年夏）。これが、ピークオート戦争と呼ばれる先住民と植民者の間の大きな戦争を招くことになった。

　次いで36年7月にはジョン・オールダムが殺害された。植民者にとって先住民との交易は死活的に重要であった。8月、復讐を任されたのはジョン・エンディコット前総督。1636年8月、これらの殺人に対する復讐のため、彼とその部下90名が派遣された。

　8月24日、エンディコットの部隊に、男は全員殺せ、女子供は捕虜にせよという命令が下された。しかし、彼らはコネティカット川の河口まで進んだが、大きな戦いもなく、大した成果を上げることはなかった。その地点は、現在のセイブルックで、オランダ人の砦が既にあり、その独占の一角に食い込むため、イギリス人植民者も小さな砦を建設し始めていた。

https://saybrookhistory.org/the-history-of-pequot-war/　エン

ディコットは、ライオン・ガーディナー少尉（Lion Gardener / 1599-1663）と相談した。

その間に、ガイドを務めていた先住民が、ピークオート族1人を殺害した。そのためピークオート族はこれを正当な理由のない挑戦ととらえ、植民地軍に攻撃を開始した。しかし、先住民の村や畑、食糧や武器を隠したキャッシュ（cache）が焼かれたが、大合戦になることはなかった。

冬になると、ピークオート族が反撃に出た。彼らはセイブルックを取り囲み、また周辺のイギリス人集落に攻撃を加え始めた。植民地側は、今回はジョン・アンダーヒルとジョン・メイスンの指揮下に約100人の民兵を動員し、それに友好的なナラガンセット族などが加わった。彼らは1637年5月26日夜明け、現在のコネティカット州ミスティック（Mystic）で、ピークオート族を奇襲、600から800人と思われる住民を皆殺しにした（アンダーヒル自身の記録によれば、生存者は14名。その大半は西インド諸島に奴隷として売り払われた）。

ジョン・メイスンは次の記録を残している。「神は、我々の敵の上手を行かれ、神の臣民の敵を嘲笑なさった。神は、敵どもを真っ赤な火が燃え上がる竈に放り込まれた。強情な奴らが最期の惰眠をむさぼっているあいだに、彼らが武器を取り上げるいとまもなく、あたりは死体でいっぱいになった。このようにして、神は我々の敵を滅ぼし、その土地を相続財産として我々に与えたまわれた」。

ミスティックでの大勝利の後、意外なことに、アンダーヒルをボストンから追放することが決まった。当時（1636-38年）は、アン・ハチンソンがボストンの支配階級と対立していた時期であった

（道徳律廃棄論争：ピューリタンたちが主張する道徳ではなく、信仰そのものが神による救済の根本とするアンの主張）。

　そのような神学的論争のなか、アンダーヒルは、アンの見解に同意していただけでなく、ボストンの街を我が物顔に歩き、女たちと酒を飲み、遊びまわっていた。その上、裁判官の1人、Justice Lodlow を "Just Ass Lodlow" と揶揄までしていた。裁判で、彼は軍人の身分を剥奪され（1637）、教会からは破門された（1640）。ボストンの清教徒たちは、H.L. メンケンが20世紀になって指摘したように、自分たち以外の誰かが、ここ以外のどこかで、幸福であることに耐えられなかったのである（"Puritanism: The haunting fear that someone, somewhere, may be happy." H.L. Mencken）。1683年、ピークオート族は2カ所の先住民保留地に移住が強制された。

　余談だが、ハーマン・メルヴィル（Herman Melville の『白鯨 *Moby-Dick* / 1851』では、エイハブ船長の捕鯨船は、ピークォド号（Pequod）という名前で、この船が白い鯨を追い求める構成になっている。これには、先住民 Pequot に対する鎮魂の意味がこめられているのだろうか。

＜夜間乗馬の冒険譚 the adventures he had passed by late riding＞　この箇所をユーモアととるか、あるいはボストンの裕福な女性の、上から目線的な批判ととるか。危険を十分に心得ている彼の駄馬、「奥さんが泣く」ほど安い料金で案内を請け負った男—しかし、彼のサービスがなければ目的地へは進めない。ボストンで恵まれた生活をおくっていたナイト夫人と、その対極にいた人々の生活ぶりがうかがえる箇所である。

＜パリスマスの英雄や信託の騎士 Hero's in Parismus and the Knight of the Oracle＞　エマニュエル・フォード作の冒険譚（1598-99）。1598年ロンドンで初版、非常に人気があった小説で次の1世紀で18版を数えた。第1部：愛すべき主人公パリスマスはボヘミアミアの王子。ペルシャ人相手の勇敢な戦いと勝利、エーゲ海にあるテッサリア島の王の娘ローラナへの愛、岩だらけの島での彼女の投獄生活、フリギア人騎士ポリパスの武勇伝とバイオレッタへの変わらぬ忠節など、荒唐無稽なストーリー。第2部、第3部と続く。(https://en.wikipedia.org/wiki/Emanuel_Ford)

★このようにしてゆっくり進みながら、私の案内人は夜間の強行軍は危険だと教えてくれました（彼の馬はそれを十分に心得ていました）。彼はこれまでに経験した夜間乗馬の冒険譚を話してくれました。また、彼が逃れた危機一髪の経験も話してくれ、私は「パリスマスの英雄」や「信託の騎士」の話を思い出し、まるで変装した王子様に出会ったのかなと思うほどでした。

====== = When we had Ridd about an how'r, wee come into a thick swamp, wch, by Reason of a great fog, very much startled mee, it being now very Dark.　But nothing dismay'd john:　Hee had encountered a thousand and a thousand such Swamps, having a Universall Knowledge in the woods; and readily Answered all my inquiries wch. were not a few.

＜湿地帯 thick swamp＞　海に接地しているボストンとその周辺

は、元々沼沢地や湿地帯の多いところ。先住民が、ショーマット Shawmut と呼んでいた小さな土地に移住者が作り始めた町、それがボストンであった（ブラックストーン牧師が1630年から急増した移住者を水場に案内し、後に売り払った土地）。そこは、外の世界にかろうじて鳥の長い首状の土地でつながっていた（その細い線状の土地幅は40メートルもなかった）。そのときの人口は、マサチューセッツ湾植民地全体で506人。それが10年後の記録では急激に増え、8,932人（うち黒人150人）。さらに10年後の1650年には14,307人（黒人295人を含む）、1660年には20,082人（うち黒人422人）、1670年には30,000人を数えた（160人）。

　植民地で増え続ける人口に応えるため、ボストンでは埋め立て工事があり、さらに外への拡張も行われた。住める土地を増やすために、長年にわたって埋め立て工事が行われたため、近年になって土地が陥没する現象が見られるようになった。

　ボストンの人口は確実に増えていた。当初（1630年）の150人から、ナイト夫人の旅の直近の数字（1700年）は6,700人に増えていた。以後、独立戦争（1775–1783）のせまる1760年になると、その数は15,631人に増加していた。

　ブラックストーン牧師の例に見るように、ボストンには当初から（英国教会から見て）造反者、変わり者がいた。アメリカに新天地を見いだそうとイングランド本土を飛び出した分離派清教徒（Separatists）たち自身も、この部類に入れても間違いではないだろう。

　乗船者名簿によれば、男性74人、女性28人がメイフラワー号に乗っていた（そのうち18人が使用人で、うち13人が分離派の家族

の下で働いた使用人。これらの数字には31人の子供も含まれる。その1人は航海中に生まれ、Oceanusと命名された）。下船した彼らを待ち構えていたのは、極寒の冬であった。翌年、無事に春を迎えられたのは、彼らの半数以下であった。

17世紀の終わりには、新しい土地で成功した者、失敗した者、またその中間にいる者などがボストンを構成していた。急激に増え始めた当時の人口には、成功した上流階級の者、失敗した下層階級の者、それに中間層が含まれるようになっていた。

その中間層、あるいは下層階級の例（1671年 / ナイト夫人がまだ5歳の頃の話である）：数人の若者が窃盗罪（倉庫や小型船に忍び込み盗みを働いた）、メアリー・ムーアと他数名は姦淫、さらに彼女たちとは別に継続的売春の嫌疑のある者もいた。アリス・トーマスには売春宿経営の強い容疑があった。しかし、売春はイギリス本国でも植民地ボストンでも、犯罪ではなかった（密通は犯罪で、売春がこの範疇に入れられて罰せられることはあった）。マサチューセッツでは、夜間、職業的に動き回るナイトウォーキング（night walking）は、1699年に法律による規制の対象になった（つまり、売春婦の存在が公式に認められたことになる）。

ナイト夫人の旅は1704年であるから、僅かその数年前のことであった（売春婦が売春のために罰せられるようになったのは1917年）。

最初の植民地には、製塩業者はいなかった。そのため、プリマス植民地のウィリアム・ブラッドフォード総督は、本国に製塩の指導者を送るように要請した（しかし、彼らは大して役に立たなかった。フランスの天日乾燥式のやり方は、気候の異なるニューイングラン

ドでは当然うまくいかなかった）。

当時の家族の生活の実態を見るのに、ある女性の話をしよう。

ネイラーという男がキャサリンという女性と再婚した。やがて噂が広まった。住み込み女中のメアリー・リードが妊娠したらしい。ニューハンプシャーで、出産の手筈が整えられた。そこで真実が助産婦に告げられた。数カ月後、ネイラー夫人は離婚を請願した。あるメイドはネイラーが深夜に帰宅、妻に食事を要求し、それが出てくると暖炉に投げ捨て、バターを要求したと語った。それが出てくると、その皿をも投げ捨てた。これらの皿が20世紀の発掘で再発見されたものかもしれない。

別の女中の話では、酔っ払ったネイラーは夜中に家族を起こすことがよくあった。雨の日、隣人宅に同行させるために、出産を控えた妻をベッドからたたき起こした。生きているだけまだましだ、そのうちに見ていろと妻を脅すのであった。ネイラーとの結婚生活は妻にとって「耐えられない屈従」であったと報告されている。

また別のメイド、メアリー・ジャクソンは女主人に金を貸したことがあると証言した。それがないと家族の食糧が買えないからだった。また、メアリーが家の中で祈っていると、主人がそんなことは俺の家ではさせないと言った。こんな所には住めないと女中が主婦に訴えると、「あなたがつかの間も耐えられないのなら、私はどうして一生も耐えられるでしょうか」と問うた。

女中たちが、しかし、すべて品行方正であったわけではない。メアリー・ムーアは祖母を訪ねると偽り、雨靴を借り、実際には40キロ離れたセーレムでネイラーと会っていた。あちこちの居酒屋で、彼の膝の上に座り、私は彼の奥さんなのよと得意げに話していた。

前述のメアリー・リードは主人と寝ていただけでなく、女主人の

ビールに有毒植物を混ぜようともしていた。これらのことが発覚したネイラーは、北のメインに難を逃れようとした。彼はそこから「下着と靴を送ってくれ」と妻に手紙を書いた。従順なキャサリンがそれに従うことはなかった。

　1690年、彼女は断捨離を始めた。その中にボウルが含まれていた。（それにしても、なぜこんなにメアリーという名の女中が多いのか）。

　これが、ナイト夫人が旅を始めた頃のボストンであった。

★1時間ほど進むと、見通しの悪い湿地帯に来ました。すでにあたりはとても暗く、霧が濃かったので、私はこの湿地帯にはずいぶん驚きました。しかし、ジョンを驚かせるものなんてありません。彼はこのような湿地帯に何千回も遭遇していて、森林についての広範囲な知識の持ち主なんですから。それで、彼は私の質問、それも少なからずあったのですが、それら全部に難なく答えてくれました。

====== = In about an how'r, or something more, after we left the Swamp, we come to Billinges, where I was to Lodg.　My Guide dismounted and very Complasantly help't me down and shewd the door, signing to me wth his hand to Go in; wch I Gladly did –

★湿地帯を出て1時間ほど、あるいはもう少しで、私たちはビリングズに到着しました。私の宿泊予定地です。私のガイドは馬から降りると、いかにも満足げに、私が降りるのを助けてくれました。そして、入り口のドアを指し示し、私に入るようにと手で合図をしま

した。私は喜んでそうしました –

====== = But had not gone many steps into the Room, ere I was Interogated by a young Lady I understood afterwards was the Eldest daughter of the family, with these, or words to this purpose, (viz.) Law for mee—what in the world brings You here at this time a night?—I never see a woman on the Rode so Dreadfull late, in all the days of my versall life. Who are You? Where are You going? I'me scar'd out of witts—with much now of the same Kind. I stood aghast, Prepareing to reply, when in comes my Guide—Lawfull heart, John, is it You—how de do! Where in the world are you going with this woman? Who is she? John made no Ansr. but sat down in the corner, fumbled out his black Junk, and saluted that instead of Debb; she then turned agen to mee and fell anew into her silly questions, with-out asking mee to sitt down.

＜この館 into the Room＞　tavern に ed をつけると「酔っ払っている」という意味になる。シューアルの日記（7/14/1713）：「家路につく。ベルチャー師とフィッシャー［のタバーン］で［食事］。5 時頃に帰宅、全員健康。神をたたえよ」。なかなかの上機嫌である。この店は1658年、「居住者の安楽のため強い水＝蒸留酒（ウィスキーやブランディ）の販売」を許され、1817年まで営業を続けていた。途中、名称が Woodward-Ames Tavern に変わった。
　ドクター・ジョンソン（Samuel Johnson, 1709–84）は、タバーンの効用をつぎのように称えている。"There is nothing

which has yet been contrived by man, by which so much happiness is produced as by a good tavern or inn."

　タバーンは、『英語語源辞典』(研究社、1999) によれば、居酒屋・宿場の意。それが食堂、集会所などの機能を持つようになった。教会と並んで人々が多く集まるところでもあったが、タバーンはより世俗的であり、連絡場所にもなった (と言っても、現在のレストランのように、家族や親子が連れ立って夕食をとるといった場所ではなかった)。

　郵便の受け取りもここで行われた。1704年4月24日、ボストンで初の定期刊行物 (*Boston News-letter*) が発行され、ロンドンの新聞以外にも地元発行のものも用意されるようになった。「ウイラード氏に最初の新聞を差し上げた」とシューアルは発行日当日の日記に書いている。ナイト夫人も目にしていたかも分からない。

　しかし、タバーンは基本的に酒を飲む場所であった。1675年、フィリップ王の戦争が始まる頃、コットン・マザーはボストンでは2軒に1軒がタバーンだと嘆いた。これが神の怒りを招くのだと彼は考えていた。

　結婚式でも葬式でも酒がでた。聖職任命式が終わると、酒宴だった。ニューイングランドでは煙草はよしとされなかった (タバーンの客が指定場所以外で煙草を吸った場合、2シリング6ペンスの罰金が待っていた)。

　しかし、ハーバードの最初期には、学生たちがもうもうとくすぶる煙の中で会話を楽しんでいた、とオーストリア人が記録している (これについては、『ゴールドラッシュの恋人たち』に記した)。

　同じ頃、日本では京都に龍谷大学が誕生した。1639年、西本願寺に設けられた「学寮」がその始まりである。これより更に古い起

源を持つ日本の大学は、曹洞宗が1592年に設立した学寮を起源とする駒澤大学。大谷大学は1665年の創立。

最も歴史が長い日本の大学は、京都の種智院大学である（828年、空海が設立した）。

閑話休題。1638年、ボストンには少なくとも2軒のタバーンがあった（ordinary と呼ばれる定食屋）。そのうちの1つに入って、腹ごしらえをするとしよう。ビールを頼み、食事をする。やがて気がつくのだが、小役人が側に突っ立っている。もうそれ以上、呑むことはあいならぬというご託宣。それはうむを言わせない独断的な命令であった。

同じ頃、ヒュウ・ガニスン（Hugh Gunnison）という男がいた。彼の仕事は、船舶への食料品供給であったが、1642年までには料理売店をも経営するようになっていた。20年後、ヒュウはこのタバーン（キングズアームズ）を600ポンドで売却した。これは、ある換算式では、馬94頭（あるいは牛111頭）を購入できる金額だった。熟練工・職人なら日当にして8,571日分に相当した。

タバーンの2階には上客用に為替取引所、総会室、さらに Star、London と命名された特別室も用意されていた。1階にはバーと小部屋があった。

＜こんな遅い時間に街道を行く女性 a woman on the Rode so Dreadful late＞　night walker（売春婦）に間違えられたのだろう。この「世界最古の職業」は既に注記したように新大陸にも持ち込まれていた。law は「驚き」を表す言葉。

★ところが、数歩も進まないうちに、私は若い女性に尋問を受ける

羽目になりました。彼女は、後になって分かったのですが、この館の主の長女でした。彼女は、このような言葉で、換言すると、一体全体なんという驚き、夜中のこんな時間に何用があって、あんたはここへやってきたの—こんな遅い時間に街道を行く女性なんて、私の一生で見たこともない。あなたは誰？　どこへ行くの？　私自身もそれを考えると、恐ろしくなって震え上がってしまいました。答えようとしていると、私のガイドが入ってきました—マダムは彼に向かうと、なんと、おまえさんはジョンかい、こんちは、と叫びました。おまえは、こんな女と一体どこへ行くつもりなんだい。彼女は誰なの。ジョンはそれには答えないで、片隅に座り、ポケットから黒いものをごそごそ取り出すと、デブにではなく、煙草に挨拶をしました。すると、彼女は再び私に向かうと、座るようにすすめることもしないで、馬鹿げた質問を私に投げかけました。

====== = I told her shee treated me very Rudely, and I did not think it my duty to answer her unmannerly Questions. But to get rid of them, I told her I come there to have the post's company with me to-morrow on my Journey, &c. Miss star'd awhile, drew a chair, bid me sitt, And then run upstairs and putts on two or three Rings, (or else I had not seen them before,) and returning, sett herself just before me, showing the way to Reding, that I might see her Ornaments, perhaps to gain the more respect. But her Granam's new Rung sow, had it appeared, would affected me as much.

＜レディング Redding＞　この地名はボストンの北26キロの位置

にある Reading と思われる。ナイト夫人は今ビリングズのタバーンに到着し、これから南西のニューヘーヴンに向かうのであるから、方角がまったく異なる土地の名が、会話に持ち出されたことになる。デブと呼ばれる女性は、何故レディングを話題にしたのか、不明。あわてふためいていたのか。

＜鼻輪をはめたばかりの雌豚 new rung sow＞　ブタには地面を掘り返す習性がある。それを防ぐために鼻輪をはめることがある。基本的に農業社会であったマサチューセッツ湾植民地に住んでいたナイト夫人に、このような知識があっても不思議ではない。「あんたの装身具は、ブタの鼻輪程度のものだとしか思えない」と、植民地のなかでも「都会的な」ボストン育ちの「私」は言いたげである。豚に真珠（casting pearls before swine）ということわざもある。

★ここの客あしらいはなってないわね。あんたの無作法な質問になんか、私は答えませんよと、彼女に言ってやりました。しかし、この女のうるさい質問を厄介払いするために、私がここへ寄ったのは、明日、ここで郵便配達夫に会い、旅を続けるためだと言ってやりました。すると、彼女は私をしばらく見つめ、椅子を引き寄せ、座るようにと言いました。それから２階に駆け上がると、指輪２つ３つを身につけ（あるいは、私がそれまでに気がつかなかったのかも）、戻ってくると、私に自分の装身具に気づかせ、尊敬の念を抱かせようと私の目の前に腰掛け、レディングまでの道程を私に示しました。でも彼女のおばあさんの、新しい鼻輪をはめたばかりの雌豚が、そこに姿を見せていても、大した違いはなかったことでしょうね。

====== = I paid honest John wth money and dram according to contract, and Dismist him, and pray'd Miss to shew me where I must Lodg. She conducted me to a parlour in a little back Lento, wch was almost fill'd wth the bedsted, wch was so high that I was forced to climb on a chair to gitt up to ye wretched bed that lay on it; on wch having Stretcht my tired Limbs, and lay'd my head on a Sad-colourd pillow, I began to think on the transactions of ye past day.

<差掛け小屋 lean-to>　母屋の壁に差し掛けて造った、屋根の下の部屋。片屋根式の差掛け小屋。母屋が2階建てであれば、差掛け小屋もある程度のスペースは確保できる。

<前日のやりとり transactions of ye past day>　ということは、日誌の記入は火曜日になってからのことなのか。

★私は約束どおり、正直者のジョンに現金と酒一杯を支払い、彼との契約を打ち切り、次いで、彼女に私の寝るところを見せてよと言いました。彼女は、奥の小さな差掛け小屋にある客間に私を案内しました。そこは、寝台の枠組みだけでほとんど一杯で、それも背が高いものですから、腹の立つことに、私がその上にあるベッドそのものに登るのには椅子を使わざるをえませんでした。そこで私は疲れきった手足を伸ばし、情けないことに色変わりした枕に頭をのせると、前日のやりとりを振り返りました。

====== = Tuesday, October ye third, about 8 in the morning,

I with the Post proceeded forward without observing any thing remarkable; and about two, afternoon, Arrived at the Post's second stage, where the Western Post mett him and exchanged Letters. Here having called for something to eat, ye woman bro't in a Twisted thing like a cable, but something whiter; and laying it on the bord, tugg's for life to bring it into a capacity to spread; wch having wth great pains accomplished, she serv'd in a dish of Pork and Cabage, I suppose the remains of Dinner. The sause was of a deep Purple, wch I tho't was boil'd in her dye Kettle; the bread was Indian, and every thing on the Table service Agreeable to these. I, being hungry, gott a little down; but my stomach was soon cloy'd, and what cabbage I swallowed serv'd me for a Cudd the whole day after.

＜昼食 Dinner＞　一日の主な食事で、夕食とは限らない。

＜パンはトウモロコシパン the bread was Indian＞　現在では corn bread と呼ばれるもの（Indian bread）。

★火曜日　10月3日　朝8時頃、私は郵便夫と出発、道中驚くべきものは何もなく、午後2時頃、郵便の第2宿場に到着、そこで彼は西からの郵便夫と落ち合い、手紙を交換しました。ここで食事を注文すると、女性が太いロープ状に、でもロープよりは白っぽく、撚りをかけたものを持ち出してきて、板の上におくと、それを引き伸ばせるだけ引き伸ばすのに散々苦労したあげく、なんとか成功すると、この日の昼食の残りものと私は思うのですが、豚肉とキャベ

ツ料理にそれを混ぜたものを出してくれました。ソースは濃い紫色で、私の考えでは彼女の染色用鍋で煮詰められたものです。パンはトウモロコシパン。テーブルの上にあるものは、すべてこんな調子です。空腹だったので、少しは飲み込みましたが、すぐに飽きがきました。なんとか飲み込んだキャベツも、それからずっと吐き戻す始末。

====== = Having here discharged the Ordnary for self and Guide, (as I understood was the custom,) About Three, afternoon, went on with my Third Guide, who Rode very hard; and having crossed Providence Ferry, we come to a River wch they Generally Ride thro'. But I dare not venture; so the Post got a Ladd and Cannoo to carry me to tother side, and hee rid thro' and Led my hors. The Cannoo was very small and shallow, so that when we were in she seem'd redy to take in water, which greatly terrified mee, and caused me to be very circumspect, sitting with my hands fast on each side, my eyes stedy, not daring so much as to lodg my tongue a hair's breadth more on one side of my mouth than tother, not so much as think on Lott's wife, for a wry thought would have overset our wherey: But was soon put out of this pain, by feeling the Cannoo on shore, wch I as soon almost saluted with my feet;

＜プロビデンス・フェリー Providence Ferry＞　プロビデンスは、現在のロードアイランド州の州都。1636年、ボストンを追放され

66

たロジャー・ウィリアムズと仲間が創設した。ウィリアムズは牧師であった国教会を離れ、31年にピューリタンとして新大陸に移住、しかし、先住民の土地の所有権や政教分離の原則をめぐり、ボストンの教会と対立、その地を追放された。彼は、1636年、プロビデンスに移住、そこで先住民と交渉して得た土地に植民地を建設した。ボストンから80キロの地である。ナイト夫人が渡った川はプロビデンス川と思われる。

　ロードアイランド州は、島の上に存在するものではないが、Island が州名につくのは何故か。ロジャー・ウィリアムズが、1636年に開拓したのはプロビデンス植民地。アクイドネック島（Aquidneck Island）は、別のグループが開拓し、両者は1644年に合併した。当時の名称は、Rhode Island and Providence Plantations であった。あまりにも長いので、今の名称になったと思われる。現在の公式名にその名残が見られる：State of Rhode Island and Providence Plantation。

　プロビデンス・フェリーで渡船場を開設したのはアンドリュー・エドマンズ（Andrew Edmonds）。彼は、1678年、フェリーの乗船場の建設と運営を願い出た。エドマンズはフィリップ王戦争（1675–76）に従軍していて、その功績が認められ、許可が下りた。ここでは、プロビデンス・フェリーは地名。機能が地名になるという同様の語法は、日本語にも「矢切の渡し」などに見られる。アンドリューの死後（1695）、妻がその事業を引き継いだが、彼女も同年に亡くなり、父親と同名の14歳の息子が後継者になった。1707年10月まで事業を継続・発展させた。郵便夫が、ナイト夫人のために見つけた「若者」は、おそらくこのアンドリューであったのだろう。

＜ロトの妻 Lott's wife＞　旧約聖書によれば、ソドム滅亡時、ロト（Lot）と一族は、腐敗した町から無一文で退去したが、彼の妻は後ろを振り返ったので、塩の柱になってしまった。創世記19:1–26が当該箇所である。

　その24–26には、「主は、ソドムとゴモラの上に、主のもとから、すなわち天から硫黄と火を降らせ、これらの町と低地一帯、町の住民すべてと、土地に芽生えるものを滅ぼされた。ロトの妻は振り向いたので、塩の柱になった」とある（聖書協会共同訳、2018）。

　塩の柱になった彼女は、もはや動けない。恐怖におびえるナイト夫人は動かないし、また動けない。

　後述するソロモン・イーグルは、「頭の上に真っ赤に燃える石炭が入った鉢」をのせ、ロンドンの町を駆け巡ったと、デフォーやピープスが記録している。イーグルは、「天から硫黄と火を降らせ」た神を想起していたのかもしれない。

★ここで、私とガイドの食事代の支払いを済ませ（私の考えでは、それが習慣であったので）、午後3時ごろ、3人目のガイドと出発、ずいぶんと激しく飛ばす人でした。プロビデンス・フェリーを横切ると、川にやってきました。ここはたいていの場合、馬に乗ったまま渡るのですが、私はそんな冒険はしません。で、郵便夫は、私を対岸に運ぶため、若者とカヌーを見つけてくれ、彼自身は私の馬を導きながら渡河しました。カヌーは、とても小さく底が浅いもので、私たちが乗ると、水が入ってきそうです。とても怖く、用心深くならざるを得ません。私はカヌーの両側に両の手を突っ張り、眼はしっかりと見据え、舌でさえ口の中でどちらか片一方に、髪の毛1

本分でも動かないように気をつけ、また、よこしまなことを考えで
もすれば、渡し船が転覆するかもしれないので、ロトの妻のことさ
え考えないようにしました。やがて、カヌーが対岸に着いたようで、
私はこの苦しみから解放され、両の足で上陸し、着岸したことを歓
迎しました。

====== = and Rewarding my sculler, again mounted and
made the best of our way forwards. The Rode here was very
even and ye day pleasant, it being now near Sunsett. But the
Post told mee we had neer 14 miles to Ride to the next Stage,
(where we were to Lodg.) I askt him of the rest of the Rode,
foreseeing wee must travail in the night. Hee told mee there
was a bad River we were to Ride thro', wch was so very firce a
hors could sometimes hardly stem it: But it was but narrow,
and wee should soon be over. I cannot express the concern of
mind this relation sett me in; no thoughts but those of the
dang'ros River could entertain my Imagination, and they were
as formidable as various, still Tormenting me with blackest
Ideas of my Approaching fate—Sometimes seing my self
drowning, otherwhiles drowned, and at the best like a holy
Sister Just come out of a Spiritual Bath in dripping Garments.

＜宗教的儀式の沐浴 a Spiritual Bath＞　洗礼。キリスト教入信時
に行われる受洗 (baptism)。どの宗派でも水に関連づけられてい
る。宗派によって、浸水（浸礼：全身を水に浸す）、灌水（頭部に
水を注ぐ）や滴礼（手を濡らし、頭に押し付けて水に沈める動作を

真似る）などがある。それを行うのは牧師や司祭（や助祭）。ク
エーカーや救世軍、無教会主義者など、洗礼を行わない組織もある。

　聖書によれば、イエス（Jesus）の先駆者、ヨハネ（John）が、
人々に罪の悔い改めを説き、彼らに洗礼を与えた。「私（ヨハネ）
は、悔い改めに導くために、あなたがたに水で洗礼を授けているが、
私の後から来る人は、私より力のある方で、私は、その履物をお脱
がせする値打ちもない」。

　「イエスが、ガリラヤからヨルダン川のヨハネのところに来られ
た。彼から洗礼を受けるためである」。そこで、「ヨハネはイエスの
言われるとおりにした。イエスは洗礼を受けると、すぐに水から上
がられた。すると、天が開け、神の霊が鳩のようにご自分の上に
降って来るのをご覧になった。そして、＜これは私の愛する子、私
の心に適う者＞と言う声が、天から聞こえた（マタイによる福音書
3:11）」。

　このようにして、イエスも洗礼をヨルダン川（the Jordan
River）でヨハネから受けた。

　聖書のなかで、洗礼は他にも言及されている。例えば、使徒言行
録9:17。「そこで、アナニアは出かけていってユダの家に入り、サ
ウロの上に手を置いて言った。兄弟サウロ、あなたがここへ来る途
中に現れてくださった主イエスは、あなたが元どおり目が見えるよ
うになり、また聖霊で満たされるようにと、私をお遣わしになった
のです。すると、たちまち目からうろこ（鱗）のようなものが落ち、
サウロは元どおり見えるようになった。そこで、身を起こして洗礼
を受け、食事をして元気を取り戻した」。

　余談だが、「目から鱗が落ちる」という表現は、聖書のこの箇所
から来ている。

★カヌーの漕ぎ手に褒美を与え、再び馬に乗ると、できるだけ早く先を急ぎました。このあたりの道路はとても平坦で、天候もよかったのですが、もう日没ちかくになっていました。でも郵便配達夫は（私たちが次に泊まる）宿場までは14マイルほどもあると言うのです。夜中に移動しなければならないのだろうと思ったので、私はそこまでの、残りの道について尋ねました。馬に乗ったまま渡らなければならない嫌な川があって、それが暴れ狂えば、馬もそれに逆らって進むことはできない時があるんだと教えてくれました。でも、川幅は狭いので、渡河自体はすぐにすむだろうとのこと。この説明を聞いて、私はすっかり落ち着きをなくしました。危険な渡河のことしか頭に入ってこず、その一つ一つが恐ろしく、それも種々様々でした。さらに、迫ってくる、いろいろな黒い運命が私を苦しめるのでした―自分自身の溺れかかっている姿や、あるいはまた、既に溺れてしまった姿、それよりもましなものでも、宗教儀式の沐浴でびしょ濡れになった衣服を身にまとっている私の姿。

====== = Now was the Glorious Luminary, wth his swisft Coursers arraived at his Stage, leaving poor me wth the rest of this part of the lower world in darkness, with which wee were soon Surrounded. The only Glimering we now had was from the spangled Skies, whose Imperfect Reflections rendered every Object formidable. Each lifeless Trunk, with its shatter'd Limbs, appear'd an Armed Enymie; and every little stump like Ravenous devourer. Nor could I so much as discern my Guide, when at any distance, which added to the terror.

＜駿馬に引かれた太陽神アポロ the Glorious Luminary, wth his swift Coursers＞　Luminary は太陽、または月。Courser は駿馬。ナイト夫人の願いに反して、太陽はあまりにも早く沈んでしまった。星のわずかな頼りない光を除けば、あたりは真っ暗闇である。1704年のアメリカ東海岸の話である。「武装した敵」は抹殺されたピークオート族の敗残兵だろうか。あるいは、オランダやイングランドにニューヨークを追われた先住民だろうか。頼りの郵便配達夫は先に行ってしまい、その姿は見えない。

★駿馬に引かれた太陽神アポロが、その目的地に着いてしまったおかげで、私、それに下界のこの周辺にいるものは、誰も彼もが暗闇のなかに取り残されてしまいました。やがて、暗くなりました。空にキラキラ輝く星が唯一の明かりで、その不十分な光線のせいで、何もかもが恐ろしいものになりました。生命のない木の幹と折れ曲がった大枝が、まるで武装した敵のように見えました。小さな切り株は、腹をすかした野獣です。道案内人が少しでも離れてしまうと見分けがつかず、そのことがさらに恐怖をあおりました。

====== = Thus, absolutely lost in Thought, and dying with the very thoughts of drowning, I come up with the Post, who I did not see till even with his hors: he told mee he stopt for mee; and wee Rode on Very deliberately a few paces, when we entred a Thickett of Trees and Shrubs, and I perceived by the Hors's going, we were on the descent of a Hill, wch, as wee come nearer the bottom, 'twas totally dark wth the Trees that surrounded it. But I knew by the Going of the Hors wee had entred the water, wch my Guide told mee was the hazzardos River he had told mee off; and hee, riding upclose to my Side, Bid me not fear—we should be over Immediately. I now ralyed all the Courage I was mistress of, Knowing that I must either Venture my fate of drowning, or be left like ye Children in the wood. So, as the Post bid me, I gave Reins to my Nagg; and sitting as Stedy as Just before in the Cannoo, in a few minutes got safe to the other side, which hee told mee was the Narragansett country.

＜少し a few paces＞　pace は歩幅を表す単位。『リーダーズ英和辞典』では「歩幅」として、具体的には30–40インチとしている。さ　ら　に、military pace（3 feet）、geometric pace（5 feet）、Roman pace（145 cm）をも例示している。インチは2.54センチ（1フィートの12分の1）。

＜森の中の子供たち ye Children in the wood＞　子供2人が森のなかで迷子になり、ホウキ（broom）に乗った魔女に彼女のジンジャーブレッドの家に連れ去られる。そこで、魔女はヘンゼルを蜘蛛に変えてしまい、女の子はコウモリに変えようとする。2人のピンチを救ったのは小人たち。次いで、ヘンゼルとグレーテルは、捕まっていた子供たちを助け出し、町へ意気揚々と帰る。魔女は大釜に落ち、石になってしまう。このようなヨーロッパの伝承物語は移住者とともに、新大陸に渡った。

＜彼の話していた川 the hazzardos River he had told mee off＞
当地に住んでいた先住民の名にちなんで、現在 Quinnipiac River
と呼ばれている川か。Off は of だろう。

＜しっかりと馬上に座っていると sitting as Stedy as Just before
in the Cannoo＞　こういう状況で、しっかりと「馬上に座る」と
いうことは、けっしてお姫様座りではないだろう。

　お姫様座りという言葉から連想するのは、例えば、『いとも豪華
なる時祷書』の「5月」に描かれている「若葉狩りに出かける貴族
たちの一行。頭に若葉をつけ、女性は緑色の衣装を身にまとってい
る」。あるいは、もっとそれとはっきり分かるシーンは同書の「8
月」に描かれている情景で、そこでは、「エタンプ城を背景に、貴
族たちが鷹狩りをする様子が描かれている」。大きな馬にカップル
が乗り、後ろの女性ははっきりとお姫様座りをしている。田中久美
子編『世界でもっとも美しい装飾写本』（新潮社、2019）を参照。

　本書で紹介されている「ベリー公のいとも豪華なる時祷書」は、
その完成が1485年ごろと言われている。ナイト夫人の旅を遡るこ
と200年以上前のことで、その貴族社会の風習が時代も地理も超え、
新大陸に持ち込まれていたのは、興味深い史実である。ただし、遠
距離を行くナイト夫人がお姫様座りを実行していたという意味では
ない。植民地の生活に、旅する女性にそこまで強制する力があった
とは思えない。

＜ナラガンセット地域 the Narragansett country＞　ナラガンセッ
ト湾の最北端部に着いたのか。

　ここは、現在のロードアイランド州（全米50州のうち最小）。

1638年、信仰上の理由でマサチューセッツ植民地を批判して、同地から追放されたロジャー・ウィリアムズ牧師（Roger Williams / 1603?–83）が、ナラガンセット族とピークオート族から同州のポーツマス（Portsmouth）を「購入」した。

　異端とみなされて、マサチューセッツを追放されたアン・ハッチンソン（Anne Hutchinson / 1591–1643）も一時、当地に逃れ、日々の生活を支えるため農業に従事していた。その時のことである。

　1638年6月1日は、晴れわたって気持ちの良い日であった。ハッチンソンは他のクエーカー信者たちと畑を耕していた。午後2時頃、地震がポーツマス、マサチューセッツ、コネティカット、ニューハンプシャーを襲った（マグニチュードは推定6.5–7.0。震源はニューハンプシャー）。

　余震が6月25日の月食まで続いた。「大地震が起きた。太陽は毛織りの粗布のように暗くなり、月は全体が血のようになった」（ヨハネの黙示録6–12）。"6:12 . . . and there was a great earthquake. The sun became black as sackcloth made of hair, and the whole moon became as blood."

　これは大惨事の予告であった。地震に限らず、自然界のもろもろの現象―彗星、日（月）食、大嵐、飢饉、伝染病など―は、罪深い人類に対する神の不興を示すメッセージであると考えられていた時代である。

　しかし、また、大惨事は神の救い、救済の予告でもあった（使徒言行録2:20–21）。「上では天に不思議な業を、下では、地にしるしを示す。血と火と立ち上がる煙がそれだ。主の大いなる輝かしい日が来る前に太陽は闇に月は血に変わる。」"And I will shew wonders in heaven above, and signs in the earth beneath;

blood, and fire, and vapour of smoke: The sun shall be turned into darkness, and the moon into blood, before the great and notable day of the Lord come, . . . ”

　そして、神の御名を唱える者は救われるのであった（“And it shall come to pass, that whosoever shall call on the name of the Lord shall be saved.”）。これは、ボストンの支配者層から見れば、彼ら自身は選ばれた民で、当然、神の救済の対象であり、他方、クエーカーの異端者たちは罰せられるべき人間であった。

　今や、「異端者たち」の家族は50から75に膨れ上がっていた。そのなかには、ウィリアムとメアリー・ダイア夫婦も含まれていた。幸運なことに、インディアンに習ったテント風の小屋に住んでいた彼らには、大きな被害はなかった（信者たちにはイギリス風の家屋を建設する余裕はまだなかった）。

　ウィリアム牧師は、ウインスロップ総督に手紙を書いた（同年6月）。「神の思慮深い、恐るべき御声と御手、つまり先日の地震のことなのですが、このあたりでは誰もが感じました（ナラガンセット川の向こう側については知る由もありませんが）。先住民のなかでも若者は何も知らないのですが、年寄り連中はここ80年のあいだで、今回は5度目だと言っています」。

★このような調子で完全に物思いにふけり、溺死という考えにとりつかれていると、郵便夫に追いつきました。彼の馬がいるのに眼に入らなかったのです。私のために止まっていたのだと彼は言いました。私たちはとても慎重に少し前進すると、低木の茂みに入りました。馬の進み具合で、丘陵の下り坂にいるのだと分かりました。低

地に近づくにつれ、もうすっかり暗くなり、そこは樹木に囲まれ、まったくの暗闇。でも、私は馬の進み具合で流れに入ったのだと分かりました。郵便夫は、これが彼の話していた川だと言いました。彼は私の近くまで寄ってきて、怖がらないようにと言いました。対岸にはすぐに着くからと。溺死する悲運に思い切って立ち向かうか、あるいは、森の中の子供たちのように取り残されてしまうのか、私はここで、自分の持つ勇気をありったけ絞り出さなければなりませんでした。それで、郵便夫の指示に従って、私の馬に手綱をあずけました。直前のカヌーの時と同じように、しっかりと馬上に座っていると、数分で対岸に無事着きました。そこはナラガンセット地域だと彼は教えてくれました。

====== = Here We found great difficulty in Travailing, the way being very narrow, and on each side the Trees and bushes gave us very unpleasant welcomes wth their Branches and bow's, wch wee could not avoid, it being so exceeding dark. My Guide, as before so now, putt on harder than I, wth my weary bones, could follow; so left mee and the way behind him. Now Returned my distressed aprehensions of the place where I was: the dolesome woods, my Company next to none, Going I knew not whither, and encompassed wth Terrifying darkness; The least of which was enough to startle a more Masculine courage. Added to which the Reflections, as in the afternoon of ye day that my Call was very Questionable, wch till then I had not so Prudently as I ought considered. Now coming to ye foot of a hill, I found great difficulty in ascending;

But being got to the Top, was there amply recompenced with the friendly Appearance of the Kind Conductress of the night, Just then Advancing above the Horizontall Line. The Ruptures wch the Sight of that fair Planett produced in mee, caus'd mee, for the Moment, to forgett my present weariness and past toils; and Inspir'd me for most of the remaining way with very diverting tho'ts,

＜Travailing＞　travail は骨折り、苦痛、陣痛、産みの苦しみを経験する意。語源は travel と同じ。

＜私の使命がずいぶんと疑問に思えた午後 ye day that my Call was very Questionable＞　私の使命は、このような苦労をしてまで果たす価値があるものなのか、と自問していたのだろうか。

★ここで、私たちの移動はとても難しいものになりました。道が狭い上に、その両側の木々と低木の大小の枝が、随分と不愉快な歓迎をしてくれたからです。とても暗いので、それらを避けることはできませんでした。ガイドは前と同様に私より早く進みました。疲れ切っていた私はついて行くことができません。それで彼の姿は消えてしまい、私はずいぶん後ろに取り残されてしまいました。そこで私はいったいどこにいるのか、嘆きと懸念とがまた戻ってきました。陰鬱な森林、同行者は無きに等しく、どちらに向かっているのかさえ分からず、私を取り囲む恐ろしい暗闇―それらは、どれをとっても男性の勇気さえくじくものでした。さらに、私の使命がずいぶんと疑問に思えた午後の出来事について、私はここまでに慎重に考え

るべきであったのですが、その思いが加わったのです。丘陵のふもとに着くと、登るのにとても苦労しました。しかし、山頂に着くと、十分に報われました。うれしいことに、暗闇の親切な案内人が、地平線の上にその姿を現しました。美しい天体がその優しい姿を見せ、私を喜ばせ、しばらくの間、目下の疲れやこれまでの苦労を忘れさせてくれました。さらに、残りの道程のほとんどで気を紛らわせてくれ、私を鼓舞してくれました。

====== = = some of which, with the other Occurances of the day, I reserved to note down when I should come to my Stage. My tho'ts on the sight of the moon were to this purpose:

＜宿舎 stage＞　移動行程の段階→旅程、宿場、駅、波止場。そこにある宿場。Stage coach 駅馬車。

★宿舎に着けば、これらの喜ばしい風景と一日の出来事をいっしょに記録することにしましょう。月をめぐる私の観察はそのためのものです。

====== = = この後に、ナイト夫人の詩が続く。

Fair Cynthia, all the Homage that I may
Unto a Creature, unto thee I pay;
In Lonesome woods to meet so kind a guide,
To Mee's more worth than all the world beside.
Some Joy I felt just now, when safe got or'e

You surly River to this Rugged shore, [Trees
Deeming Rough Welcome s from these clownish
Better than Lodgings with Nereidees.
Yet swelling fears surprise; all dark appears –
Nothing but Light can disipate those fears.
My fainting vitals can't lend strength to say,
But softly whisper, O I wish 'twere day.
The murmur hardly warm'd the Ambient air,
E're thy Bright Aspect rescues from despair:
Makes the old Hagg her sablemantle loose,
And a Bright Joy do's through my Soul diffuse.
The Boistero's Trees now Lend a Passage Free,
And pleasant prospects thou giv'st light to see.

====== = From hence wee kept on, with more ease yn before: the way being smooth and even, the night warm and serene, and the Tall and thick Trees at a distance, especially wn the moon glar'd light through the branches, fill'd my Imagination wth the pleasant delusion of a Sumpteous citty, fill'd wth famous Buildings and churches, wth their spiring steeples, Balconies, Galleries and I know not what: Granduers wch I had heard of, and wch the stories of foreign countries had given me the Idea of.

★ここから私たちは以前に比べると楽に進み続けました。道が平らで、でこぼこがなく、暖かくて澄み切った夕べで、遠くに見える背

の高い密生した木々、特に月が大枝を通して煌々と照り、それが私の想像の世界に、有名な建物や教会、空にそびえ立つ尖塔、バルコニー、回廊、それにあれやこれやを備えた壮麗な都市を描き、心地よく惑わせてくれたのです。これまでに耳にしたことのある異国の話で知っていた壮観です。

====== =

Here stood a Lofty church – there is a steeple,
And there the Grand Parade – O see the people!
That famous Castle there, were I but nigh,
To see the mote and Bridg and walls so high –
They'r very fine! sais my deluded eye.

ここには背の高い教会—あそこには尖塔が、
あちらには威風堂々としたパレード—それを見る人々！
あの有名な城があそこに、もっと近ければ
濠やその上にかかっている橋、高い城壁—
とても素晴らしい！　と私の挫折しかかっている心。

====== = Being thus agreeably entertain'd without a thou't of any thing but thoughts themselves, I on a suden was Rous'd from these pleasing Imaginations, by the Post's sounding his horn, which assured mee hee was arrived at the Stage, where were to Lodg: and that musick was then most musickall and agreeable to mee.

Being come to mr. Havens', I was very civilly Received, and courteously entertained, in a clean comfortable House; and the Good woman was very active in helping off my Riding clothes, and then ask't what I would eat. I told her I had some Chocolett, if shee would prepare it; which with the help of some Milk, and a little clean brass Kettle, she soon effected to my satisfaction. I then betook me to my Apartment, wch was a little Room parted from the Kitchen by a single bord partition; where, after I had noted the Occurrances of the past day, I went to bed, which, tho' pretty hard, Yet neet, and handsome.

<ヘーヴン氏のところ mr. Havens'> 　地名の New Haven はこのヘーヴン氏に由来するのか。どうやらそうではなく、イングランドの East Sussex の Newhaven と関連があったようだ。

　Haven には「港、避難所」という意味がある。1840年、その名前・意味にふさわしい裁判が当地であった。ナイト夫人の旅から1世紀以上たった時のできごとである。その影響は、現在にまで及んでいる。

　この町の市役所に、ジョセフ・シンケ（Sengbe Pieh / also known as Joseph Cinque）という名の、危うく奴隷になりかけた男の銅像がある。この大きな彫刻は、3面からなっていて、最初の面に西アフリカ（現在のシエラレオネ）時代のシンケ、第2面にコネティカットでの裁判中のシンケ、第3面に、裁判の結果、自由の身になったシンケの姿が描かれている。

　1839年、シンケと仲間53人はキューバで奴隷として売られる運

命であった。彼らは大西洋上で反乱（7月2日）に成功、奴隷船を故郷に向けるように命令した。

　しかし、2人のスペイン人奴隷交易業者が狡猾にも採った進路は、新世界に向いていた。60日間の迷走の末、この奴隷船がアメリカ沖に着いたとき、アメリカ海軍（そう、かつての植民地は、この時すでに独立を果たしていた）は、シンケたちの乗ったアミスタッド号を拿捕、ニューヘーヴンに曳航、そこで彼らは裁判（反乱と殺人）にかけられた。

　アメリカでは、奴隷制はまだ合法的であったが、合衆国最高裁判所は1841年3月9日、彼らは元々奴隷ではなく、「拉致されたアフリカ人」であると判断した。1842年1月、生存者のアフリカ人35人は母国に帰国した。この歴史的な判決が下されたのが、ニューヘーヴンであった。https://www.hnps.gov/people/sengbe-pieh.htm

　裁判とその結果は、奴隷制廃止運動を進める大きな原動力になり、ニューヘーヴンは運動発祥地の1つになった。当時の資料は色々あるが、https://educators. mysticseaport.org/documents/amistad_notes/ は手書きのメモで、被告たちがスペイン（厳密にはキューバ）の動産ではなく、自由人であると論じた部分である。ちなみに、スペイン語で amistad は「友情、親交、友好」を意味する。

　初期の奴隷制については：https://historycollection.com/10-miserable-things-a-slave-experience-during-life-on-a-slave-ship/

★このような思いに心地よくひたっていると、私は、突然、郵便夫の吹く角笛のおかげで、目が覚めました。その音は、彼が私たちの宿舎に着いたことを知らせてくれるものでした。そのときの角笛の

響きほど、音楽的で心地よいものはありませんでした。ヘーヴン氏のところに着くと、私は、とても礼儀正しく、清潔で快適な家に迎え入れられ、丁重に歓待されました。ご夫人は、私が乗馬服を脱ぐのをきびきびと助けてくださり、その後、食事は何がいいかしらと尋ねられました。彼女に準備してもらえるのなら、私はココアが欲しいわと言いました。まもなく彼女はミルクと清潔で小さな真鍮のやかんの力添えで、私の満足いくように準備してくださいました。それから、私は自分の部屋に行きました。それは、板一枚で、台所と仕切られている小さな部屋でした。私はそこでこの日の出来事を記入して、就寝しました。ベッドは少々固めでしたが、清潔で素晴らしいものでした。

====== = But I could get no sleep, because of the Clamor of some of the Town tope-ers in next Room, Who were entred into a strong debate concerning ye Signifycation of the name of their Counry, (viz.) Narraganset. One said it was named so by ye Indians, because there grew a Brier there, of a prodigious Highth and bigness, the like hardly ever known, called by the Indians Narragansett; And quotes an Indian of so Barberous a name for his Author, that I could not write it. His Antagonist Replyed no – It was from a Spring it had its name, wch hee well knew where it was, which was extreme cold in summer, and as Hott as could be imagined in the winter, which was much resorted too by the natives, and by them called Narragansett, (Hott and Cold,) and that was the originall of their places name—with a thousand Impertinances not worth notice, wch He utter'd with such a Roreing voice and Thundering blows with the fist of wickedness on the Table, that it pierced my very head. I heartily fretted, and wish't 'um tongue tyed;

＜隣の部屋 in next Room＞　ヘーヴン氏のところは、おそらく public house / tavern と呼ばれる居酒屋も兼ねた宿であった。ナイト夫人の部屋の薄い壁の反対側が、居酒屋になっていたのであろう。居酒屋には酒を飲むために人が集まる。その仲間が集まる。旅人もやって来る。そして、この夜のように大騒ぎになる。熱弁をふるっている2人（？）は何を飲んでいるのか、どれくらい飲んだのか。

　Public house と呼ばれるくらいだから、タバーンは町や村にとって重要な場所であった。そこでは集会が開かれたし、居住者のダンスも催された。役人たちはしばしば会議を開き、商人は寄り合いを持った。裁判も開かれた。店主は、これらの全てに参加していた目撃者であった（彼は、後には逃亡奴隷にも目を配るようになった）。

＜ナラガンセット Narragansett＞　ナラガンセット族の人々とヨーロッパ人の最初の接触は1524年。その年、イタリアの航海士ヴェラツァノ（Giovanni de Verrazano）が、ノースカロライナからメインに至る北米大陸の東海岸を探検した。その時、彼はナラガンセット湾に入り、農業と狩猟で生活をしていた先住民（ナラガンセット族）に出会っている。ロードアイランドに住む彼らは同地のより小さい部族—ニアンティックス Niantics, ワンパノアグ

Wampanoag, マニシアン Manisseans—を保護、見返りに貢ぎ物を受け取っていた。

ナラガンセットは、ニューイングランドに住むアルゴンキン族の言葉では、「小さな岬の人々」を意味した。彼らは夏冬の気候に合わせて居住地を変えたり、40人も乗れるボートを造るなど合理性を持っていた。

1636年、ボストンを追われた政教分離主義者ロジャー・ウィリアムズは、前述したように、プロビデンスに植民地を設立したが、彼はその土地をナラガンセット族の指導者たちから（購入したのではなく）借り上げていた。

1675年、清教徒たちの軍が、ロードアイランドのサウス・キングストーンにあったナラガンセット族の冬の宿営地を襲撃、女性、子供、老人たちを虐殺した。軍人という者は、「自分と同類の、自分に何の害も与えていない者をできるだけ多数、平然と殺すよう雇われたヤフーなのです」と、ジョナサン・スィフトは、『ガリバー旅行記』（1726／柴田元幸訳）で指摘している。

この沼沢地での大虐殺（the Great Swamp Massacre）を免れた者は、内陸の沼沢地に退却したが、植民地軍（プリマス、マサチューセッツ、コネティカット）に追われ、その多くが殺された。それを生き延びた者のなかにはカリブ海の島々に奴隷として売り飛ばされた者もいた。

１世紀後、かろうじて生き残っていた子孫は1769年、ピークオート、ニアンティック、モンタウク各部族の人々と内陸に向かった。しかし、独立を果たしたヨーロッパ人（今やアメリカ人）が西方に土地を求めると、彼らはさらに内陸に押し出された。1820年代になって、彼らに手を差し伸べたのは、オナイダ族とストックブ

リッジ族（Stockbridge）であった。連邦政府によって自分たちに
割り振られたウイスコンシンの居留地に、ナラガンセット族などの
人々を迎え入れた。

★でも、私は一睡もできませんでした。というのも、隣の部屋で町
の大酒飲みの連中が、この地の名称（つまり、ナラガンセット）の
意味について、大声で言い争っていたからです。インディアンたち
がそのように名付けたのだと1人が言いました。その地にはブライ
アの樹が一本あって、その高さと太さが余所では見られないほど驚
異的なもので、インディアンたちがナラガンセットと呼んだのだと
彼は言いました。そして、1人のインディアンの名を挙げるのです
が、とても残忍な名前なので、私にはそれを書く余裕がありません。
いいや、違う、と反対意見を述べる者―泉があって、その名前なん
だ、その場所も俺はよく知っている。その泉は、夏はとても冷たく、
冬は冬でとても熱く、先住民たちがよく行くんだ。彼らがナラガン
セット（熱く、冷たい）と呼ぶのだ。それがこの地名の起源なのだ
―ここに書く必要もないのですが、この男は、生意気で無礼な発言
を何百回も繰り返し、そのよこしまな拳が雷のようにテーブルをた
たきつけ、それが私の頭を突き刺すのです。私は心底嫌になり、彼
らの舌が糸で結わえられたらいいのにと願ったものです。

====== = but wth as little success as a friend of mine once,
who was (as shee said) kept a whole night awake, on a Jorny,
by a country Left. And a Sergent, Insigne and a Deacon,
contriving how to bring a triangle into a Square. They kept
calling for tother Gill, wch while they were swallowing, was

some Intermission; But presently, like Oyle to fire, encreased the flame. I set my Candle on a Chest by the bed side, and setting up, fell to my old way of composing my Resentments, in the following manner:

I ask thy aid, O Potent Rum!
To Charm these wrangling Topers Rum!
Thou hast their Giddy Brains possest-
The man confounded with the Beast-
And I, poor I, can get no rest.
Intoxicate them with the fumes:
O still their Tongues till morning comes!

And I know not but my wishes took effect; for the dispute soon ended wth 'tother Dram; and so Good night!

＜ビールを次々と tother Gill＞　gill は0.14リットルというから飲み助にとっては大した量ではない。ここではビールと訳したが、実際はもっとアルコール含有量の多いウィスキーなどであったのか。Tother は意味的には another だろう。

★でも、私の友だち同様、うまく行きませんでした。（彼女の話では）あるとき旅行中、一晩中寝つけなかったそうです。土地の中尉、軍曹、それに教会の助祭が、三角形を四角形のなかになんとか押し込もうとしていました。ビールを次々と持ってこさせ、彼らがそれを飲んでいるあいだは休憩時間もあったのですが、やがて、火に油

を注いだように、炎はさらに大きくなりました。私はベッドの横の箱にローソクをおき、座り直して、私の怒りを次のように書きました。私の願いが聞き入れられたのかどうか分かりませんが、議論は、もう一杯飲んで、お開きとなりました。で、おやすみなさい！

====== = Wedensday, Octobr 4th.

About four in the morning, we set out for Kingston (for so was the Town called) with a French Docter in our company. Hee and ye Post put on very furiously, so that I could not keep up with them, only as now and then they'd stop till they see mee. This Rode was poorly furnished wth accommodations for Travellers, so that we were forced to ride 22 miles by the post's account, but neerer thirty by mine, before wee could bait so much as our Horses, wch I exceedingly complained of. But the post encourag'd mee, by saying wee should be well accommodated anon at mr. Devills, a few miles further. But I questioned whether we ought to go to the Devil to be helpt out of affliction. However, like the rest of Deluded souls that post to ye Infernal den, Wee made all possible speed to this Devil's Habitation; where alliting, in full assurance of good accommodation, wee were going in.

＜キングストン Kingston＞　1826年に現在の名称に変わった。それまでは、「小休憩 Little Rest」と呼ばれていた。1675年、先住民との戦いに急ぐ兵隊たちに、当地で僅かな休息が許されたと言われている。現在の地名は、イングランド王チャールズ2世（在位

1660-1685）を称えてつけられた（King's town）。先住民ピーク
オート族の名がついたトレールとタワーヒル開拓地に向かう道との
交差点にあった。

＜郵便夫の計算では22マイル、私の計算では30マイル　22 miles
by the post's account, but neerer thirty by mine＞　22マイル
（35.2キロ）と30マイル（48キロ）では違いは大きい。ナイト夫
人は「まだ50キロちかくも行かなければならないの」と言いたげ
だ。

＜デビルさんの所 mr. Devills＞　ナイト夫人はデビルさんの名前
と字面通りの意味とで遊んでいる。「大いに飛ばして」悪魔のとこ
ろへ急いだが、彼女は馬に跨がっていたのだろうか。

★10月４日　水曜日　朝４時頃、私たちはフランス人の医者と一
緒にキングストンに向かいました（町はそのように呼ばれていまし
た）。彼と郵便夫がとても早く行くので、私はついて行けませんで
した。時々、２人は私の姿が見えるまで立ち止まっていてくれまし
た。この道路には、旅人用の設備など無いも同然で、そのため私た
ちは郵便夫の計算では22マイル、私の計算では30マイル近く行っ
て、馬たちと私たちはようやく食べ物にありつけました。それにつ
いて私はきつく苦情を申し立てました。郵便夫は、まもなく数マイ
ルほど先のデビルさんの所でまともな食事にありつけるだろうと
言って、私を励ますのですが、私は苦痛から逃れるために悪魔［デ
ビル］のところへ行くべきかどうか疑問に思いました。しかし、私
たちは、黄泉の国にある悪の巣窟に急ぐ悩める魂のように、大いに

飛ばして、悪魔の居場所へ向かいました。そこで、まともな待遇を
受けられるものと、自信を持って馬から降り、中へと進みました。

====== = But meeting his two daughters, as I supposed twins,
they so neerly resembled each other, both in features and
habit, and look't as old as the Devel himself, and quite as Ugly,
We desired entertainm't, but could hardly get a word out of
'um, till with our Importunity, telling them our necessity, &c.
they call'd the old Sophister, who was as sparing of his words
as his daughters had bin, and no, or none, was the reply's hee
made us to our demands. Hee differed only in this form the
old fellow in to'ther Country: hee let us depart. However, I
thought it proper to warn poor Travailers to endeavor to Avoid
falling into circumstances like ours, wch at our next Stage I sat
down and dis as followeth:

May all that dread the cruel feind of night
Keep on, and not at this curs't Mansion light.
'Tis Hell! And Devills here do dwell:
Here dwells the Devill – surely this's Hell.
Nothing but Wants: a drop to cool yo'r Tongue
Cant be procur'd these cruel Feinds among.
Plenty of horrid Grins and looks severe,
Hunger and thirst, But pity's bannish'd here –
The Right hand keep, if Hell on Earth you fear!

<宿場 stage> 宿場に相当する単語は stage である。Stage の語源は "standing place" で、いま立っている場所を指す。それに、宿駅、駅路、段階という意味も付け加えられるようになった。Stage coach（郵便馬車、駅馬車、乗合馬車）という単語には出発地点から次の宿場に進む段階がうかがえる。

★でも、彼の2人の娘は、体つきも振る舞いもお互いよく似ていて、デビル氏そのものと同じくらい老けていた上に、ずいぶん醜く、私は双子だと思いました。私たちは食事をしたいのだと2人に伝えましたが、彼女たちからは反応がないのも同然でした。食べ物が必要なのですと私たちがしっこく頼み込むと、娘たちは、屁理屈屋である親に声をかけました。この男も娘たち同様言葉数が少なく、駄目、駄目、何もない。それが私たちの差し迫ったお願いに対する、この男の返事でした。黄泉の国にある悪の巣窟と異なる点が1つあって、この親父は私たちを出発させてくれたのです。でも、私は、かわいそうな旅人たちが私たちのような目に遭わないように、警告するのが正しいことだと思いました。それで、私は次の宿場で腰掛けると、次のように記しました。

====== = Thus leaving this habitation of cruelty, we went forward; and arriving at an Ordinary about two mile further, found tolerable accommodation. But our Hostes, being a pretty full mouth'd old creature, entertain'd our fellow traveiler, ye French Docter wth Inumirable complaints of her bodily infirmities; and whisperd to him so lou'd, that all ye House had as full a hearing as hee: which was very diverting to ye company, (of which there were a great many,) as one might see by their sneering. But poor weary I slipt out to enter my mind in my Jornal, and left my Great Landly with her Talkative Guests to themselves.

<宿 an Ordinary> 辞書には「定食」とあり、さらに「(定食を出す)食堂」とある。ここではさらに、定食を出すだけでなく、宿泊も可能な店。ナイト夫人の日誌には、レストラン restaurant という単語は出てこない。つまり、この時代、レストランと呼べるような道路サービスはまだ見受けられなかったのではないか（特に、ボストン育ちで、鼻が高いナイト夫人の期待に添うレベルのものは）。

　この宿も、「まあまあ我慢できる程度の宿」なのである。客は多い（a great many）ようだが、働いているのは、この病気持ちの年寄り1人のようである。

★このような状態で、私たちはこの残酷な棲み家から前進しました。そして2マイルほど先で、まあまあ我慢できる程度の宿に着きました。でも、ここの女主人はよく喋る年寄りで、私たちの仲間、例のフランス人の医者に向かって、あれやこれやと自身の疾患について苦情を述べ立てるのです。この女は彼に向かってささやくのですが、その声がとても大きいので、宿にいる者だれもが耳にする始末。多くの人がいて、彼らの冷笑から判断すると、結構気晴らしになったようです。疲れていた私は、日誌の記入をするため、よく話す泊まり客の連中に偉大なる女主人を任せ、その場を離れました。

====== = From hence we proceeded (about ten forenoon), pretty Leisurely; and about one afternoon come to Paukataug River, wch was about two hundred paces over, and now very high, and no way over to'ther but this. I darid not venture to Ride thro, my courage at best in such cases but small, And now at the Lowest Ebb, by reason of my weary, very weary, hungry and uneasy Circumstances. So takeing leave of my company, tho' wth no little Reluctance, that I could not proceed wth them on my Jorny, Stop at a little cottage Just by the River, to wait the Waters falling, wch the old man that lived there said would be in a little time, and he would conduct me safe over.

<ポウカトウ川 Paukataug River> ロードアイランド州の源流から大西洋に向かって南西方向に流れ、最終的にはコネティカット州との州境を作って、海に流れる。全長55キロ。現在ではPawcatuck と綴られている。

<200ペースくらい about 200 paces> 辞書には、pace は「ひとまた；歩幅（30–40 inches）」とある。1 inch＝2.54 cm だから1ペースは76センチから101センチになる。1ペースを1メートルと考えると、この川は200メールほどの幅になる。

★ここから私たちは（午前10時頃）、ナラガンセット地域をゆっくりと進み、午後1時頃、ポウカトウ川に来ました。この川は200ペースくらいの幅で、水位も高く、渡河するのはこの地点しかあり

ません。私は馬に乗って渡るようなことはしませんでした。このような場合、私の勇気というものはあっても小さなもので、しかも、このとき私は疲れ、そう、とても疲れていて、空腹で、落ちつかない状況だったのです。それでずいぶんと残念だったのですが、同行者には一緒に行けないと暇乞いをして、ここにとどまりました。水位が下がるのを待つため、川のすぐそばの小さな小屋で止まりました。そこに住む老人が、少しすれば水位も下がるので、私を安全に対岸へ連れて行ってあげようと言ってくれました。

====== = This little Hutt was one of the wretchedest I ever saw a habitation for human creatures. It was supported with shores enclosed with Clapbords, laid on Lengthways, and so much asunder, that the Light come throu' every where; the doore tyed on wth a cord in ye place of hinges; The floor the bear earth; no windows but such as the thin covering afforded, not any furniture but a Bedd wth a glass Bottle hanging at ye head on't; an earthan cup, a small pewter Bason A Bord wth sticks to stand on, instead of a table, and a block or two in ye corner instead of chairs. The family were the old man, his wife and two Children; all and every part being the picture of poverty. Notwithstand-ing both the Hutt and its Inhabitance were very clean and tydee: to the crossing the Old Proverb, that bare walls make giddy hows-wifes.

＜人間の住み家 a habitation for human creatures＞　ロビンソン・クルーソーが島で最初の夜に寝たのは、難破船から運んできた

帆で作ったテントであった。これが、彼の無人島での28年におよぶ生活の始まりであった。彼はそこで「ぐっすり眠った」。次の日、彼は干潮時に「パン、砂糖、ラム酒、小麦粉」を船からテントに運んだ。この作業はしばらく繰り返された。この作業は、困難を伴うものではあったが、ナイト夫人が出会った老人とその家族のそれに比べると、楽なものであった。老人家族は、「羽目板」をどこで入手したのであろうか。羽目板は「工業」製品で、大工道具がなければ作ることはできない。窓にかかるカーテンは「ようやく手にした薄いシーツ」であった。テーブルや椅子もない。

　クルーソーはテントを帆布で作った。クルーソーの船は、幸運なことに、ブラジルからアフリカへ向かう外洋船で、そのため、食糧や生活必需品だけでなく、武器弾薬も積み込んでいた。つまり、当時の、長期間にわたる海上生活に必要な武器や食糧を積み込んでいた。さらに幸運なことに、船が難破したのは、比較的暖かいカリブ海で、しかも島に近い場所であった。

　ナイト夫人の渡河を助けた親切な老人とその家族に比べると、クルーソーの島での生活は文明によって十分に「お膳立て」されたものであった。

　新島襄には、「決定的な影響を受けた文学作品」があった。北垣宗治先生によれば、「それは、ダニエル・デフォーの『ロビンソン・クルーソー』であります」。

　1865年の夏、ボストンに着いた新島は、「港につながれているワイルド・ローバー号で八十日間以上生活しますが、その孤独のなかで読んだ」のが、この本で、「ロビンソンの物の考え方、感じ方に自分を投影して、自分もまた親を捨ててきた親不孝者だという意識

があったに違いない。ロビンソンは一種のピューリタンとして描かれています。ロビンソンはまたミッショナリー的な精神の持ち主でありました。そのピューリタンのタイプにやはり新島もなっていくわけです。」北垣宗治『新島襄とアーモスト大学』(山口書店、1993)。

　北垣先生は、同志社で36年間、教鞭をとられ、その後、敬和学園大学の学長を務められた。

＜ガラス製の瓶 a glass Bottle＞　川の水を入れていたのか。

＜むき出しの壁は馬鹿な主婦を作る、ということわざの反対。to the crossing the Old Proverb, that bare walls make giddy hows-wifes＞　「老人、その妻、子供2人」の家族は、たしかに貧相な家に住んでいるが、小屋も住人も清潔で、きちんとしている。その様子は、ことわざの言うところの反対である。

　ここは、まさに文明から離れた荒野のなかの一軒家である。近くに大工はもちろん、鍛冶屋などはいない（ようだ）。したがって、ドアには蝶つがいもない。窓にはガラスもない。壁は隙間だらけである。

　ちなみに、日本の江戸時代、庶民の住居はどうだったのか。彼らが住んだ長屋などは、「一所帯分の最低が間口9尺、奥行き2間で4畳半一間」で、この4畳半のなかに、勝手口兼台所も含まれていた。

　ここに、「一人者から親子5人くらいまでが住んでいた」。薄壁1枚が隣家との境界になった。共同便所、ゴミ捨て場、井戸が外に

あった。

　これより上になると、2間×3間、3間×4間のものもあった。たいていのものが板間で、その上にムシロをひいた。風呂はなく、たいていが借家であった。

　家主がこれらの長屋（アパート）を建て、その管理を大家が請け負っていた。高橋幹夫『絵で知る江戸時代』（芙蓉書房、1998）、平井聖『町家と町人の暮らし』（学習研究社、2000）。

　明治時代の日本になるが、東京から日光、新潟、さらには北海道まで旅をして、日本人の居住空間の詳細な描写を残したイギリス人女性がいる（イザベル・バード / Isabella L. Bird, 1831–1904）。

　バード夫人は、本州北部や北海道を1878（明治11）年の3カ月以上にわたって旅し、そこでの経験・観察を記録した（子供たちの遊び、お医者さんごっこ、ご当地一の美女など、市井の描写が詳しい。挿絵も楽しい）。そのなかには、家屋の詳しい描写、彼女自身がノミなどに悩まされ眠れなかった夜、障子の穴からのぞき込まれた経験なども綴られている）。https://www.google.com/maps/d/viewer?mid=1i6gESEDu_SyCjgoOvyy89IR0iKc&hl=en_US&ll=38.4175579226965%2C139.60134804646992&z=6

　金坂清則訳の『新訳　日本奥地旅行』（平凡社、2013）がそれである。そのなかで、バードは日本の東北部に住む人々の（北海道では先住民アイヌの）、住宅事情（つまり、人の生活には、どの程度のスペースがいるのか）、男女の仕事、子供たちの日常生活などを詳述している。

　前述の「ご当地一の美女」は、山形県上山で温泉宿を経営する未亡人の娘であった（未亡人には11人の子供がいた）。上述の翻訳本には原著のイラストも含まれていて、「美女」もそのなかに含まれ

ている。

　バードが「東洋のアルカディア」と呼んだ上山地域では、バード
の名前を冠した活動が継続されている。https://arcadia-kanko.jp/
news/2022/11/10/sotokoto_newpost/

　バードは、後に神戸、京都、伊勢、大阪も訪れ、その機会に新島
襄・八重夫妻にも会っている。

　さて、ナイト夫人の記録に戻る。
　仮に鉄の素材から蝶つがいを作ることのできる職人がいても、こ
の小屋の住人には職人を雇う金銭的余裕はあっただろうか。答えは
もちろんノーである（だいたい、鉄やガラスはどこで手に入れるの
か）。
　１人の職人（とその家族）を支えるのは容易なことではなかった。
それには近隣に住む多数の家族が当然必要で、鍛冶屋自体も農業と
兼業であるから、彼の農業用土地も必要であった。

　1845年、一人のハーバード大学卒業生が、自分の手で小屋を建
てた。ヘンリー・デイビッド・ソロー（Henry David Thoreau,
1817–1862）が、その人物である。
　マサチューセッツ州コンコードそばのウォールデン池に面すると
ころに、彼が自力で立てた小屋は、間口３メートル、奥行き4.5
メートル、せいぜい８畳ほどのものであった。荷車２台分の石を運
び、暖炉を作った。
　この程度のもので、十分な生活ができることを、彼は身を以て証
明し、湖畔での２年間ほどの経験を１年に凝縮し、『ウォールデン

Walden』として出版した。詳しくは、拙著『ゴールドラッシュの恋人たち』の第1章「26 自分の手で小屋を建てる」参照。

　さて、老人とその家族に戻る。彼らは、冬に備えて、壁の隙間を埋めなければならない。それには木を切り倒し、それを製材しなければならない（釘はどこで手に入れるのか。金槌や釘は？）。
　だいたい、どうしてこのような家族が、ここで住んでいるのだろうか。ボストンのような、より文明化された街には住めないという宗教的な理由があったのかもしれない。経済的に高くつく町、あるいはそこに近い村には住めなかったのかもしれない。宗教的迫害を逃れて来たのかもしれない。
　ナイト夫人の文章だけでは理由や原因は不明である。ただ、強く印象に残るのは、「少しすれば水位も下がるので、私を安全に対岸へ連れて行ってあげようと言ってくれた」老人の親切心と、彼のものと思われるボートの存在である（彼はボートをどこで手に入れたのか）。

　動詞 to cross の意味には、「反対・否定する」があることに注目。『ジーニアス英和辞典』には「⑧（考え・希望に関して）（人）に反対する、反論する」とある。
　世間では、"Bare walls make giddy house-wives." と言うが、老人の妻の場合、この常識に当てはまらず、例外である。主婦は見事な働きをしている、とナイト夫人は感心している。
　植民地のなかでも生活のしやすいボストンに住んでいる女性が、恵まれない環境に置かれた主婦とその家族を褒め称えている。
　当時の格言には、「名声を求める妻の居場所は家の中、まるで足

が悪いように。"The wife that expects to have a good name, Is always at home as if she were lame."」や、"The foot on the cradle and the hand on the distaff is the sign of a good house-wife."「主婦の鑑、足はゆりかごに、手は糸巻き棒の上」のような諺もあった。

★この小屋は、私がこれまでに目にした人間の住み家のなかで、最も貧弱なものでした。支えは支柱で、それが隙間だらけの縦の羽目板で囲まれ、光がどこからでも入ってきます。ドアは、蝶つがいの代わりに紐でくくられています。床はむき出しの地面。窓はようやく手にした薄いシーツで、家具はベッドのみ。その頭の所に、ガラス製の瓶がぶら下がっています。陶製のカップ1つ、錫製の小さなたらい、テーブルの代わりに棒で支えられた板、隅には椅子の代わりに木のブロックが1、2。家族は老人、その妻、子供2人。どこに目をやっても極貧そのものです。それにもかかわらず小屋も、4人の住人も清潔で、きちんとしています。「むき出しの壁は馬鹿な主婦を作る」ということわざの反対です。

======= I Blest myselfe that I was not one of this miserable crew; and the Impressions their wretchedness formed in me caused mee on ye very Spots to say:

★私は自分がこの場所に住む惨めな人たちでないことに感謝し、その惨状が私の心にもたらした印象をその場で次のように記しました。

Tho' ill at ease, A stranger and alone,

All my fatigu's shall not extort a grone.

These Indigents have hunger with their ease;

These Indigents have hunger with their ease;

Their best is wors behalfs then my disease.

Their Misirable hutt wch Heat and Cold

Alternately without Repulse to hold;

Their Lodgings thyn and hard, their Indian fare,

The mean Apparel which the wretches wear,

And their ten thousand ills wch can't be told,

Makes nature er'e 'tis middle age'd look old.

When I reflect, my late fatigues do seem

Only a notion or forgotten Dream.

====== = I had scarce done thinking, when an Indian-like Animal come to the door, on a creature very much like himself, in mien and feature, as well as Ragged cloathing; and having 'litt, makes an Awkerd Scratch wth his Indian shoo, and a Nodd, sits on ye block, fumbles out his black Junk, dipps it in ye Ashes, and presents it piping hot to his muscheeto's, and fell to sucking like a calf, without speaking, for near a quarter of an hower. At length the old man said how do's Sarah do? who I understood was the wretches wife, and Daughter of ye old man: he Replyed—as well as can be expected, &c. So I remembered the old say, and suposed I knew Sara's case.

＜インディアンがはく 靴 his Indian shoo＞　モカシン
（moccasin）を指しているのだろうか。たいていの場合、これは
鹿革でできていた。地域とそこに住む部族によって形状は異なる。

　よく言われる格言に、"Before you judge a man, walk a mile
in his shoes [moccasins]." がある。これは後になって、"Judge
Softly" or "Walk a Mile in His Moccasins" by Mary T. Lathrap
として知られるようになる。https://jamesmilson.com/about-the-
blog/judge-softly-or-walk-a-mile-in-his-moccasins-by-mary-t-
lathrap/

　この時、ナイト夫人はどのような出で立ちであったのだろうか。
乗馬服に乗馬用の長い靴？

＜それから降りると having 'litt＞　litt は light の過去分詞（のつ
もり）。Light には「馬などから降りる」という意味がある。

★思いにふけっていると、インディアンのような獣が、体裁も風貌
もそれによく似た、しかも体を覆うものまでそっくりの動物にまた
がって、ドアの所にやってきて、それから降りると、この男はイン
ディアンがはく靴で不器用に一度ひっかくと、うなずいて、木のブ
ロックに腰掛けました。彼の黒い煙草を不器用に取り出し、灰のな
かにぐいと押し込み、それを熱いまま髭のなかに突っ込み、仔牛の
ように吸い始めました。何も話さないで15分ほど。やっとのこと
で口を開くと、サラはどんな具合だ、と言いました。ここの惨めな
男の妻、つまり、この男の娘のことなのでしょう。それで私は例の
古い諺を思い出したのです。やっこさんは答えました、まあ、こん
なものでしょう。そこで、私はサラの事情が飲み込めたと思いまし

た。

====== = Butt hee being, as I understood, going over the River, as ugly as hee was, I was glad to ask him to show me ye way to Saxton, at Stoningtown; wch he promising, I ventur'd over wth the old mans assistance; who having rewarded to content, with my Tatter-tailed guide, I Ridd on very slowly thro' Stoningtown, where the Rode was very Stony and uneven. I asked the fellow, as we went, divers questions of the place and way, &c. I being arrived at my country Saxtons, at Stonington, was very well accommodated both as to victuals and Lodging, the only Good of both I had found since my setting out. Here I heard there was an old man and his Daughter to come that way, bound to N. London; and being now destitute of a Guide, gladly waited for them, being in so good a harbour, and accordingly,

＜ストーニングタウンのサクストンズ Saxtons, at Stoningtown＞
ナイト夫人が行きたい所の地名は何なのか。「ストーニングタウンのサクストンズ」と言ったり、「サクストンズのストーニングトン」と言ったり、迷いが見られる。と言うより地名（名称）そのものがまだ定着していなかったことを示しているのではないか（現在はストーニングトン）。

　ストーニングタウンの開拓は、２人の男（ウォルター・パーマー Walter Palmer とナサニエル・チェスブルー Nathaniel Chesebrough）によって始められた。

1652年、まずパーマーの娘婿、マイナー（Thomas Miner）が大きな家屋を建て、そこにパーマーとチェスブルーとその家族が移住してきた。その時、パーマーは既に68歳であった。

　周辺にはまだ先住民が住んでおり、移住者にとっては農業以外には、彼らとの交易が生計の主な手段であった。しかし、ピークオート戦争（1637年）の余韻がまだ残っていたので、彼らとの交流は限定的で、先住民に銃器や弾丸を売ることは、コネティカット総会（the General Assembly of Connecticut）によって禁止されていた。さらに、1642年には、鍛冶屋がインディアンの武器を修理することも禁止された。村の集会所（兼教会）ができたのは1661年のことで、その2カ月後にパーマーは亡くなった。彼は初期開拓者たちの家父長的存在であった。この男は6フィート5インチの巨人であった。

　チェスブルーは1678年に亡くなった。2年後、その未亡人ハナ（Hannah）は、ジョセフ・サクストン（Capt. Joseph Saxton）と再婚した。ジョセフは、サラより13歳若かった。夫婦には3人の子供が誕生した。

　ナイト夫人は、現在のマサチューセッツとロードアイランド両州を通り、コネティカット州に入った。

　現在、この州のモットーは"qui transtulit sustinet"で、英語では、"He who transplanted still sustains [us]." になる。それは、聖書「詩編80-9、-10」から採られたもので、"Thou hast brought a vine out of Egypt: thou hast cast out the heathen, and planted it."）、「あなたはエジプトからぶどうの木を引き抜き諸国民を追い出して、これを植えられました」となる。「移植した先人は私たちをいまも支える」という意味。

マサチューセッツの最初の印章（the first seal）には裸の先住民の男が描かれていて、彼の持つ槍の穂先は下（地面）に向けられている。彼の口からは、"Come over and help us."という言葉が発せられている（吹き出し）。

　これは聖書の「使徒言行録16:9」から採られたものと考えられている。「その夜、パウロは幻を見た。1人のマケドニア人が立って、＜マケドニア州に渡って来て、私たちを助けてください＞とパウロに懇願するのであった」。

　パウロがこの幻を見たとき、「私たちはすぐにマケドニアに向けて出発することにした。マケドニア人に福音を告げ知らせるために、神が私たちを招いておられるのだと確信したからである」。

　また、ロードアイランドにも州旗があって、1647年に採用されたものには13の黄金の星に囲まれた錨が中央に描かれている。錨の下に青地の旗がひらめき、金色でHOPEと描かれている。「私たちはこの希望を、魂のための安全で確かな錨として携え、垂れ幕の内側へと入って行くのです」（ヘブライ人への手紙6:19）。

　このように、いずれの植民地もその設立の起源を宗教に辿ることができる。

★彼が川を渡ると分かったので、醜い爺さんではあったけれど、私は彼にストーニングタウンのサクストンズまで連れて行ってと頼みました。彼が約束をしたので、ここの老人の助けを得て、私は川を渡りました。おんぼろ爺さんには、彼が満足するだけのお礼をしました。それで、ストーニングタウンに向かって、とてもゆっくりと進みました。道はずいぶんと石だらけで、でこぼこしていました。移動しながら、私は爺さんにその地や道について、あれやこれやと

質問をしました。私の目的地であるサクストンズのストーニングトンでは、食事にも部屋にもとても恵まれました。その両方ともに恵まれたのは、出発してから初めてのことです。ここで私は、ニューロンドンに向かう老人とその娘がやってくると耳にしました。私は、今やガイドのいない身なので、それにとてもいい所に泊まっているのですから、喜んでこの2人を待つことにしました。それで、

====== = About 3 in the afternoon, I sat forward with neighbor Polly and Jemima, a Girl about 18 Years old, who hee said he had been to fetch out of the Narragansetts, and said they had Rode thirty miles that day, on a sory lean Jade, wth only a Bagg under her for a pillion, which the poor Girl often complain'd was very uneasy.

<隣人のポーリーとジェマイマと出発しました I sat forward with neighbor Polly and Jemima> 意味を考えると sat は set。set forward 出発する。

　Neighbor は「近くの人」、「助け・親切を必要とする」他者、仲間（ジーニアス英和辞典）。原義：近くの（neigh）住人・百姓（bor）。

<30マイル thirty miles> キロメートルに換算するといくらになるか。

<鞍代わり pillion> 同乗する女性用の軽い鞍。ジェマイマには、「鞍代わりに袋が1つ」あるだけ。おそらく前日も彼女はそのよう

な体勢で、父親の痩せ馬に乗って30マイルの距離を進んだのであった。

　乗馬の経験のある人は、裸馬に乗るような、この乗り方がいかに苛酷なものであるか、理解できるであろう。尻の皮が破れ、かさぶたができ、それが潰れ、膿み出す。完治には数週間かかるのではないか。

★10月５日　木曜日。午後３時頃、私は隣人のポーリー、それに18歳くらいの女の子ジェマイマと出発しました。彼の話では、前日、ナラガンセット川まで行って彼女を連れて来たとか。30マイルの道程を惨めな痩せ馬に乗って、彼女のお尻の下には鞍代わりに袋が１つ。可哀想に、女の子は不安定だと何回も苦情を申し立てました。

＝＝＝＝＝＝ = Wee made Good speed along, wch made poor Jemima make many a sow'r face, the mare being a very hard trotter; and after many a hearty and bitter Oh, she at length Low'd out: Lawful Heart father! this bare mare hurts mee Dingeely, I'me direfull sore I vow; with many words to that purpose: poor Child sais Gaffer—she us't to serve your mother so I don' care how mother us't to do, quoth Jemima, in a passionate tone. At which the old man Laught, and kik't his Jade o' the side, which made her Jolt ten times harder.

＜しかめっ面 sow'r face＞　sour（傷や心が）痛む。Sorry と同語源。Painful より口語的（ジーニアス英和辞典）。ナイト夫人はそ

ばにいるのだろうが、助けようとはしていない（助けようがない）。

＜この雌馬がとても早足だったせいです the mare being a very hard trotter＞　mare は雌馬。Trotter は早足で駆ける馬の意味。疲れた痩せ馬で早く行くのだから、乗り心地は当然よくない。Trot の速度は普通１分間に220メートル位（JRA 日本中央競馬会）。ここでは実際にこの速度（時速13 km）で走ったとは思われない。

　ストーニングトンから次の目的地ニューロンドンまでは、今の高速道路で約23キロ。実際、彼らがストーニングトンを出発したのは午後３時頃で、目的地ニューロンドンの渡船場に着いたのは（次に見るように）７時頃であった。所要時間約４時間。Stonington は確かに石の多いエリアであった。

＜痩せ馬 his Jade＞　mare は雌馬。"a broken-down, vicious, or worthless horse" https://www.merriam-webster.com/dictionary /jade)

★私たちは早く進みました。それで、可哀想にジェマイマは何回もしかめっ面をしました。この痩せ馬がとても早足だったせいです。それで、何回も「オー」と激しく苦しそうに叫ぶと、とうとう彼女はうなるように、「お父さん！　誓って言いますが、この暴れ馬が飛び回るおかげで、私はとても痛いめに遭って、惨めなんですよ」。可哀想に、この娘は同じ意味のことを何回も繰り返すのです。で、爺さんは、娘や、可哀想に。おまえのおっかさんにもよく仕えた馬なんだ。お母さんが、どうしていたのかなんてことはどうでもいいわ、とジェマイマが強く言う。老人は笑い、やくざ馬の腹を一蹴り。

で、馬は10倍も激しくジャンプする。

====== = About seven that Evening, we come to New London
Ferry: here, by reason of a very high wind, we mett with great
difficulty in getting over—the Boat tos't exceedingly, and our
Horses capper'd at a very surprizing Rate, and set us all in a
fright; especially poor Jemima, who desired her father to say
so jack to the Jade, to make her stand. But the careless
parent, taking no notice of her repeated desires, She Rored out
in a Passionate manner: Pray suth father, Are you deaf? Say
so Jack to the Jade, I tell you. The Dutiful Parent obey's;
saying so Jack, so Jack, as gravely as if hee'd bin to saying
Catechise after Young Miss, who with her fright look't of all
coullors in ye RainBow.

＜ニューロンドンの渡船場 New London Ferry＞　この地点（グ
ロトン）にあるのはテムズと呼ばれる川で、西にある対岸がニュー
ロンドン（今では原子力潜水艦17隻の基地がある）。現在は湾の上
を95号線が走っていて、それを下りると沿岸警備隊（USCG）の士
官学校がある。沿岸警備隊は、合衆国初代財務長官アレグザン
ダー・ハミルトン（Alexander Hamilton, 1755?–1804）が創設し
た。
　オランダやイングランドの入植者が来る前、テムズ川を渡るため
に先住民たちが使っていたのはオークの木をくりぬいた丸木舟で
あった。植民地の人口が増え始めると、家畜や農産物を西から、よ
り人口の多い東側（ボストン）に運ぶ必要が生まれ、大型の平底船

が導入された。1703年、本格的な波止場が誕生した。ナイト夫人やジェマイマが乗ったのは、この平底船であろう。この船ではマンパワー（オール）だけでなく、風力（帆）も使われた。おかげで数頭の動物と人間数人を川の反対側に一度に運べるようになった。

＜お願い、お父さん Pray suth father＞　suth の意味は不明。

＜若い娘さんの後について教理問答書を唱えている saying Catechise after Young Miss＞　教理問答書（catechism）は、キリスト教の教義を平易に説いた問答体の書物。公教要理（デジタル大辞泉）。キリスト教信仰教育のための書物。ギリシア語 katēchein（口頭で教えるの意）に由来。キリスト教会は、その歴史の最初の時期から受洗志願者や教会全体の教育のために、教理を要約し利用した。この親子の姿がナイト夫人には、父親が（いやいや）娘に従って（彼にとってはおそらく退屈な）教理問答書を従順に繰り返しているように見えたのであった。ユーモラスなシーン。

★その日の夕方7時頃、ニューロンドンの渡船場に着きました。激しい風のため、渡河は大変困難でした─船がとても激しく揺れるので、どの馬も驚くほど何回も跳ね回り、そのため私たちは怖い目に遭いました。特にジェマイマがそうでした。彼女は、父親に馬がしっかりと立つように、ハイシドウドウと言ってよと頼みました。でも、無頓着な父親は、娘が何回も頼んだのにもかかわらず聞く耳を持ちません。それで、彼女は大声で、「お願い、お父さん。聞こえないの？」。で、従順な親は耳を傾けました。そして、「ドウドウドウ、オーラオーラ」と言いました。その様子は、まるで若い娘さ

んの後について、教理問答書を厳かに唱えているかのようでした。娘さんは娘さんで、恐怖のため、顔色が虹の7色のように変わっていました。

====== = Being safely arrived at the house of Mrs. Prentices in N. London, I treated neighbour Polly and daughter for their diverting company, and bid them farewell; and between nine and ten at night waited on the Revd Mr. Gurdon Saltonstall, minister of the town, who kindly Invited me to Stay that night at his house, where I was very handsomely and plentifully treated and Lodg'd; and made good the Great Character I had before heard concerning him: viz. that hee was the most affable, courteous, Genero's and best of men.

＜別れを告げました bid them farewell＞　以下にあるように、ナイト夫人はまともな所に宿泊したが、ポーリー父娘はどこに向かったのであろうか。ナイト夫人の特技は、エリート社会の人物と会い、厚遇を受けることである。また、夜の9時か10時に突然訪れて泊めてもらう神経の持ち主でもある。

＜ガードン・サルトンストール牧師 Revd Mr. Gurdon Saltonstall＞　マサチューセッツ植民地生まれ。ハーバード神学部卒業後、大学院へ進み、1687年、修士になった。翌年、ニューロンドンの組合派教会の牧師に就任。ウィンスロップ総督が1707年に亡くなると、彼はその後を引き継いで総督に選ばれた（1708-1724）。教会の権威に基づく法と秩序を重視した。彼の功績の1つ

は後のエール大学をセイブルックからニューヘーヴンに移設したことである。

　彼は3回結婚し、10人の子供をもうけた。ナイト夫人がサルトンストール牧師の世話になったとき、彼の妻は2人目のエリザベス・ローズウエル（Elizabeth Rosewell）であった。彼女も最初の妻同様、5人の子供を産んだ。

★ニューロンドンのプレンティス夫人宅に無事到着。気晴らしをしてくれた旅の道連れ、ポーリーさんと娘さんにお礼をして、別れを告げました。夜の9時か10時、ガードン・サルトンストール牧師を表敬訪問しました。親切にも、今夜はここに泊まればいいと勧めてくださいました。そこで、私はとても手厚く、そしてたっぷりともてなされました。それで、私はこの牧師さんの品格について、これまでに聞いていたとおりだと確信をもちました。つまり、この方はとても優しくて礼儀正しく、寛大で最良の男性でありました。

====== = Friday, Octor 6th. I got up very early, in Order to hire somebody to go with mee to New Haven, being in Great perplexity at the thoughts of proceeding alone; which my most hospitable entertainer observing, himselfe went, and soon return'd wth a young Gentleman of the town, who he could confide in to Go with mee; and about eight this morning, wth Mr. Joshua Wheeler my new Guide, takeing leave of this worthy Gentleman, Wee advanced on towards Seabrook. The Rodes all along this way are all bad, Incumbred wth Rocks and mountainos passages, wch were very disagreeable to my tired carcass; but we went on with a moderate pace wch made ye Journy more pleasant. But after about eight miles Rideing, in going over a Bridge under wch the River Run very swift, my hors stumbled, and very narrowly 'scaped falling over into the water; wch extremely frightened mee. But through God's Goodness I met with no harm, and mounting agen, in about half a miles Rideing, come to an ordinary,

＜ジョシュア・フィーラー氏 Mr. Joshua Wheeler＞　ニューロンドンの海運業者、ジョン・フィーラーの息子。ジョシュアは1681年生まれなので、この時23歳くらいか。

＜川がとても早いスピードで the River Run very swift＞　この川は次に出てくる「シーブルック川」ではなさそうだ。

＜シーブルック Seabrook＞　当時の郵便配達夫のルートに、この地名は存在しない。Saybrook が正しい名称だと思われる（ナイト夫人の聞き間違え、記憶違いではないか）。
　セイブルックは、ニューロンドンから約30キロの町で、コネティカット川を渡った西側の河口にある。ナイト夫人の目的地、ニューヘーヴンはここから50キロほど。
　「橋があって、その下では川がとても早いスピードで流れていました」とあるが、この川はコネティカット川（このような広い幅の川にかかっていた当時の橋は、どのような構造物であったのか。現在でも、バスで東岸の町オールド・ライム Old Lyme から対岸のオールド・セイブルックまでは10分ほどかかる）。

源流からニューイングランド諸州を流れてロングアイランド海峡（Long Island Sound）に流れ込む（全長653 km）。

　ピークオート族はこの川を、感潮河川（tidal river）を意味する‘quinetucket’と呼んでいた。それがなまって、コネティカット“Connecticut”になった（感潮河川は、アマゾン川のように潮の干満を受け、潮津波／海嘯といった現象を見ることのできる河川）。

　この付近で1636年の夏、ピークオート族はマサチューセッツ湾植民地の派遣したエンディコットの軍に襲われた。エンディコットは、彼らに殺害（1633年）された交易商人ジョン・ストーン（John Stone）とウォルター・ノートン（Walter Norton）などの遺体の返還を求めた（この要求自体は失敗に終わった）。

＜宿泊所 an ordinary＞　定食を出す食堂。居酒屋と訳した方がいいのかもしれない。

★10月6日　金曜日。ニューヘーヴンまでの同行者を雇うため、私はとても早く起きました。1人で行かなければならないのではと、心配していたのです。客人を手厚くもてなすご主人が、それに気付かれ、ご自身が出て行かれ、育ちの良い、町の若者を連れて、すぐに戻って来られました。私に同行するのに信頼できる人物だということです。それで、今朝8時頃、この立派な紳士の下を離れ、新しいガイド、ジョシュア・フィーラー氏と私はシーブルックに向けて出発しました。こちらの道路はずっと悪く、岩石と山道に邪魔され、私の疲れた体にこたえました。でも、私たちはほどよいペースで進み、おかげで移動が気持ちのよいものになりました。しかし、8マイルほど馬で進むと、橋があって、その下では川がとても早いス

ピードで流れていました。そこで、私の馬がよろめき、川に落ちるのはなんとか免れましたが、おかげで私は恐怖におののいてしまいました。でも、神様の思し召しで危害に遭うこともなく、私は再び馬上の人になりました。0.5マイルも行かないうちに私たちは宿泊所に着きました、

====== = Were well entertained by a woman of about seventy and vantage, but of as Sound Intellectuals as one of seventeen. Shee entertain'd Mr. Wheeler wth some passages of a Wedding awhile ago at a place hard by, the Brides-Groom being about her Age or something above, Saying his Children was dreadfully against their fathers marrying, wch she condemned them extremely for.

＜花婿は彼女かそれ以上の年齢 the Brides-Groom being about her Age＞　花婿は、この食堂の女主人と同年齢くらい、つまり「70歳かそれ以上」である。子供たちが、父の結婚相手としてふさわしくないと反対した花嫁は、実際、何歳くらいだったのか。

★70歳か、それ以上の女性が応対してくれましたが、彼女は17歳の女の子と同じくらい健全な理解力を持った人物でした。彼女は、フィーラー氏にちょっと前にすぐ近くであった結婚式の話をしました。花婿は彼女か、それ以上の年齢で、彼の子供たちは父の結婚にひどく反対だったそうです。彼女は、彼の子供たちをずいぶんと非難していました。

====== = From hence wee went pretty briskly forward, and arriv'd at Saybrrok ferry about two of the Clock afternoon; and crossing it, wee call'd at an Inn to Bait, (foreseeing we should not have such another Opportunity till we come to Killingsworth.) Landlady come in, with her hair about her ears, and hands at full pay scratching. Shee told us shee had some mutton wch shee would broil, wch I was glad to hear; But I supose forgot to wash her scratchers; in a little time she brot it in; but it being pickled, and my Guide said it smelt strong of head sauce, we left it, and pd sixpence a piece for our Dinners, wch was only smell.

So wee putt forward with all speed, and about seven at night come to Killingsworth, and were tollerably well with Travillers fare, and Lodgd there that night.

＜キリングズワース Killingsworth＞　この町から目的地のニューヘーヴンまで、残りの距離は約45キロ（ニューヨークまでは170キロほど）。エール大学の最初の授業が行われたのはこの地で、その講義を担当したのは前述のピアソン牧師（Rev. Abraham Pierson）。この人物が最初の学長になった。

＜せわしく at full pay＞　at full pay とあるが、at full play でないと意味が通じない。

＜どうやらカツラをつけるのを忘れていたのでしょう I suppose [she] forgot to [put on] her scratchers＞　ここの女主人は、ア

タマジラミ（head louse / lice）にでも悩まされていたようだ。そのため彼女は、「髪の毛をせわしく掻く」必要があった。Scratcher は「小さなカツラ」。この単語には、"a scratch wig, a short wig, esp. one that covers only part of the head" の意味がある。[she] forgot to [put on] her scratchers と補って、ようやく意味が通ずる。この箇所はこの日誌の記述で理解するのが特に難しいところ。"a kind of wig covering only a portion of the head" → https://www.definitions.net/definition/scratch

＜強い臭いがする it smelt strong of head sauce＞　さらに難しいのは、この "head sauce" の箇所だ。ある資料では head sauce は次のように説明されている。"Head sauce: Pickled pig's head or sometimes calf's head, including ears, jowls, and other parts. Also called head souse, or, in a jelled form, head cheese." in William L. Andrews, ed., *Journeys in New Worlds: Early American Women's Narratives* とある。ここの pickled は、塩漬けにしたくらいの意味か。ゆでた動物の頭から骨などを取り除き、残った肉をゆでる過程で生じるゼラチンで固めたものの意。

　別の解釈も可能だ。"head sauce" は head から落ちたものでできたソース sauce、つまりフケ（雲脂・頭垢）や lice（シラミ）を指しているのではないか。女主人は、彼女の頭をウィッグ（カツラ）で覆うことをしなかっただけでなく、調理中も「髪の毛をせわしく掻」いていたのではないか。それで羊の肉には頭垢がついていたのであった。

　いずれの解釈をとっても、美味いもののようには思えない。「育ちの良い、町の若者」であった「私のガイド」は、苦情を申し立て

る気など全くなかった。いずれにしろ、テーブルに出て来たものは、約束された「焼いた羊の肉」ではなかった。それで、2人は支払いを終えて、這々の体で逃げ出したのであった。

＜一人6ペンス sixpence a piece＞　2.4ドルくらいのものか。
https://www.uwyo.edu/numimage/Currency.htm

★ここから私たちはかなり早く進み、セイブルックの渡船場に午後2時頃に着きました。川を渡り、食事をするため宿屋に寄りました。（キリングズワース到着前に食事の機会はないと見越していたのです）。女主人が耳にまとわりついた髪の毛をせわしく掻きながら、出てきました。羊の肉を焼きましょうという言葉を聞いて、私は嬉しかったのですが、彼女は―どうやらカツラをつけるのを忘れていたのでしょう―しばらくして肉を持ってきましたが、酢漬けにされていたもので、私のガイドが、塩漬けにされた豚の頭の強い臭いがすると言ったので、私たちはそれに手をつけずに、一人6ペンス払いました。臭いだけの昼食でした。
　そこで私たちはできるだけのスピードで前進、夜の7時頃にキリングズワースに着きました。旅人用の食事もそれほど悪くはなかったので、その夜はそこに泊まりました。

====== = Saturday, Oct. 7th, we sett out early in the Morning, and being something unacquainted wth the way, having ask't it of some wee mett, they told us wee must Ride a mile or two and turne down a Lane on the Right hand; and by their Direction wee Rode on but not Yet comeing to ye turning, we mett a Young fellow and ask't him how farr it was to the Lane which turn'd down towards Guilford. He said wee must Ride a little further, and turn down by the Corner of uncle Sams Lott. My Guide vented his Spleen at the Lubber; and we soon after came into the Rhode, and keeping still on, without anything further Remarkabell, about two a clock afternoon we arrived at New Haven, where I was received with all Posible Respects and civility.

＜ギルフォード Guilford＞　この地で殺されたピークオート族の首長の首が切り落とされ、当地の樹のまたに置かれたと伝えられている。当地には、Sachems Head（首長の頭）と名付けられた無神経なヨットクラブがある。sachem は「部族連合の首長」。

＜アンクル・サムの地所 uncle Sams Lott＞　現在、Uncle Sam という英単語は、アメリカ合衆国（the United States of America）を指すが、ナイト夫人の旅の時代には、まだ USA は誕生していない。それで、このアンクル・サムは、土地の人間の名前と考えてよさそうだ。https://www.history.com/this-day-in-history/united-states-nicknamed-uncle-sam

＜かんしゃく玉を爆発 vented his Spleen＞　「私のガイド」は、土地の有力者に金曜日の朝、突然、頼まれてガイド役をつとめている。今朝は今朝で、早い出発であった。この日の遅い昼食は、塩漬けにされた、くさい豚の頭で、それを危うく食べさせられるところであった。しかも、ここはよく知らない土地である。道が分からな

い。土地の人間に尋ねても、まともな答えが返ってこない。安請け
合いをしたことを後悔しているのか。２人目の「若者」もまともに
答えてくれているように思えない。

＜その道 the Rhode＞　スペルから判断して、一瞬、Rhode
Island かもと思うが、そこはストーニングトンに着く前に通って
来たところである。で、この the Rhode は the road の間違いだろ
うと思われる。

★10月７日　土曜日。早朝、出発。道路事情が分からないので、
出会った人たちに尋ねると、１マイルか２マイル行くと右手に小道
があるので、そこを曲がれば良いとのことで、それに従ったのです
が見当たらず、出会った若者にギルフォードにつながる小道までど
のくらいかと訊くと、もう少し進み、アンクル・サムの地所の角で
曲がれということでした。ここで、私のガイドのかんしゃく玉が爆
発。やがて私たちはその道に入りました。変わったこともなく進み
続けると、午後２時頃、私たちはニューヘーヴンに着きました。そ
こでは私は礼儀正しく敬意を持って迎えられました。

======＝Here I discharged Mr. Wheeler with a reward to his
satisfaction, and took some time to rest after so long and
toilsome a Journey; and Inform'd myselfe of the manners and
customs of the place, and at the same time employed myself in
the affair I went there upon.

＜当地に出向いた目的 the affair I went there upon＞　この段階

では、ナイト夫人の旅の目的は、我々にははっきりしていない。

★ここで私はホイーラー氏に十分なお礼をし、彼と別れました。長い過酷な移動であったので、私はしばらく休憩しました。当地の流儀や習慣について調べました。それと同時に、私が当地に出向いた目的である仕事に取りかかりました。

====== = They are Govern'd by the same Laws as wee in Boston, (or little differing,) thr'out this whole Colony of Connecticot, And much the same way of Church Government, and many of them good, Sociable people, and I hope Religious too: but a little too much Independant in their principals, and, as I have been told, were formerly in their Zeal very Riggid in their Administrations towards such as their Lawes made Offenders, even to a harmless Kiss or Innocent merriment among Young people. Whipping being a frequent and counted as an easy Punishment, about wch as other Crimes, the Judges were absolute in their Sentences. They told mee a pleasant story about a pair of Justices in those parts, wch I may not omit the relation of.

<法律はとても厳格> 次の Crime and Punishment という簡潔な記事が参考になる。https://www.allenisd.org/cms/lib/TX01001197/Centricity/Domain/1270/Crime%20and%20Punishment.pdf

＜鞭打ちの刑罰 Whipping＞　次のサイトに、罪人の頭と両手を固定する当時の刑具（pillory）や鞭打ちの様子を見ることが出来る。
https://www.google.com/search?q=whipping+in+old+connecticut&rlz

　鞭打ち刑はその厳しさから言えば、刑の５段階中の④に当たる。もっとも軽い①は、さらし台 stocks の上で、穴のあいた板で両手両足の自由を奪うものであった。それよりも厳しいのは、罪人の頭（首）と両手を固定するさらし台 pillory であった。これらは苦痛よりも屈辱を与えるものであり、通行人は彼らに罵詈雑言を吐き、残飯を投げつけることもあった。

　皮肉なことに、ナイト夫人の父親 Thomas Kemble もさらし台を経験している。船長であった彼が、長い海洋航海からボストンに帰ってきた日曜日、彼は妻にキスしてしまったのである（場所は不明）。

　ナサニエル・ホーソン（Nathaniel Hawthorne, 1804-64）の『緋文字 the *Scarlet Letter*』で知られる焼き印（branding）。これは軽い場合は、衣服にアルファベットの大文字が押されたが、体の一部に焼き鏝が使われることもあった。Ｔは泥棒（thief）、Ｄは飲み助（drunk in public）、Ａは不倫・不貞（adultery）を意味した。これが２番目。

　３番目の罰は水責め椅子（ducking stool）で、女性専用の罰であった。ゴシップ好きで、権威に無礼な態度をとる者に使われた。池のそばで、シーソーの片側に取り付けられた椅子に、犯罪者であるとにらまれた女性が座らされ、数回水中に送り込まれた。その回数は判事次第で、被告の女性はずぶ濡れのまま裁判を受けるはめに

なった（裁判よりも先に罰があったと言ってもいいだろう）。

4番目の罰は鞭打ちなどで、20から40回の鞭打ちが平均であった。これは残酷な刑に分類される。

この時代の記録に残る鞭打ちの最多回数は117回。ボストンなどの清教徒の支配する社会では、その宗教や教会に非難めいた口をきくと、熱した千枚通しで舌に穴を開けたり、両耳を切り落とす場合もあった。

最後の5番目は、死刑であった。火あぶりの刑も八つ裂きの刑も見られたが、絞首刑が一般的であった。

ボストンから40キロ離れたセーレムであった魔女裁判（1692）では20人が死刑になったが、そのうちの1人は体の上に石を積み上げられ、押しつぶされて死んだ。ナイト夫人が旅に出るわずか12年前の話である。

植民地では、日曜日安息法（the blue laws）が敷かれた。なかでもコネティカットは、後に blue law state と呼ばれるほど厳格な法律があった。信仰の自由を求めた人たちが作った清教徒社会は、それを守りとおすために、このような恐ろしい一面があったということは記憶しておかなければならない。

政治（政権）の恐ろしさを示す出来事が京都でもあった。セーレムの魔女裁判（1691-92）に先立つこと約70年、京都・鴨川でも、江戸幕府2代将軍・徳川秀忠の命で1619年、異教徒（キリスト教信者）が、大八車で市中引き回しの上、西の方広寺の大仏に面と向かうように鴨川の河原で斬首（30人）および火あぶりの刑（25人）に処せられた。殉教者のうち、11人は子供であった（禁教令違反）。

その場所を示す石碑が鴨川の左岸、正面橋東詰に建てられている（鴨川の六条から七条の間あたり）。それには「元和キリシタン殉教の地」の文字が刻まれている。橋を渡り、西に進むと方広寺がある。

　幕府による迫害は、その後も続いた（1622年長崎の殉教、1623年 江戸の殉教）。これら３大殉教と直結するかどうかは不明だが、京都の寺院などに隠れキリシタン灯籠が見られるのは注目に値する。

　仁和寺には、３基の「キリシタン灯籠」が現存し、制作年度は「嘉永二十一年」（1644）と刻まれている。また、嵐山の花の家にも同じようなキリシタン灯籠（1644）がある。この屋敷は、保津川や高瀬川を現在の形にした角倉了以（1554–1614）の邸宅であった（この豪商が、灯籠とどのように関与していたのかどうかは不明）。

　四条坊門にあった南蛮寺（1576年）は、和風３階建ての壮麗なものだった。跡地から発掘された礎石等は、同志社大学に保管されている。

★ここコネティカットでは、ボストンと同じ（つまり、ほとんど変わらない）法律で行政が執り行われ、教会による政治は同じようです。多くの住人は善良で交際上手です（信心深い、とも私は望んでいます）。信念という点では独立心が少々強すぎ、聞いたところでは以前は熱情に駆られて法律はとても厳格で、無邪気なキスや若い人たちの陽気なお祭り騒ぎでも犯罪になっていたとか。鞭打ちの刑罰はしばしば見られるし、また寛大な刑罰だと思われています。これについては、他の犯罪についてもですが、判事の裁決が絶対的なものです。このあたりの判事２人について、耳にしたことを省略す

る訳にはいかないでしょう。

====== = A negro Slave belonging to a man in ye Town, stole a hogs head from his master, and gave or sold it to an Indian, native of the place. The Indian sold it in the neighbourhood, and so the theft was found out. Thereupon the Heathen was Seized, and carried to the Justices House to be Examined. But his worship (it seems) was gone into the field, with a Brother in office, to gather in his Pompions. Whither the malefactor is hurried, And Complaint made, and satisfaction in the name of Justice demanded. Their Worships cann't proceed in form without a Bench: whereupon they Order one to be Imediately erected, which, for want of fitter materials, they made with pompions—which being finished, down setts their Worships, and the Malefactor call'd, and by the Senior Justice Interrogated after the following manner. You Indian why did You steal from this man? You sho'dn't do so—it's a Grandy wicked thing to steal. Hol't Hol't cryes Justice Junr. Brother, You speak negro to him. I'le ask him. You sirrah, why did You steal this man's Hpggshead? Hoggshead? (replys the Indian,) me no stomany. No? says his Worship; and pulling off his hatt, Patted his own head with his hand, sais, Tatapa—You, Tatapa—you; all one this Hoggshead all one this. Hah! Says Netop, now me stomany that. Whereupon the Company fell into a great fitt of Laugter, even to Roreing. Silence is comanded, but to no effect: for they continued perfectly

Shouting. Nay, sais his worship, in an angry tone, it be so, take mee off the Bench.

＜判事殿はカボチャ収穫のため畑に行って（いたようで）his worship (it seems) was gone into the field＞　判事といえども農業に従事していた時代であった。

★この町に住むある男の黒人奴隷が、主人の所有する豚の頭を盗み、土地のインディアンに与えたか、あるいは売るかしました。このインディアンが、近在でそれを売ってしまったので、盗難がばれてしまいました。

　そこで、異教徒は捕らえられ、尋問のため判事の家に連行されました。しかし、判事殿はカボチャ収穫のため畑に行って（いたようで）、代わりにその弟が事務所にいました。

　そこへ悪人が連行され、告訴の申し立てが行われました。次いで正義の名において、賠償が要求されました。しかし、形式上、判事席がないと裁判が始められません。そこで判事席を直ちに造るように命令が下されました。それ以上いい材料がなかったため、カボチャが並べられました―その作業が終わり、2人の判事殿がお座りになり、犯罪人が呼び出されました。

　上級判事が、次のように尋問しました。おまえ、インディアンよ、どうしてこの男から盗みを働いたのか。そんなことはしてはならないのだ―盗みはとっても悪いことなんだ。待て、待て、兄貴よ、と判事の弟。彼には、黒人弁（語）を話さなきゃ。俺が訊こう。

　おい、おまえ、どうしてこの男から豚の頭を盗んだんだ。（インディアンが応える）俺、訳が分からん。そうか、と判事殿。帽子を

取って、おん自らの手のひらで、ご自分の頭を軽くたたく。そして、のたまう、おまえ、タタパ―おまえ、タタパよ―おまえ、盗んだ豚の頭はこんな頭なのか。ハッ、俺、そんなもの、おまえの頭なんか盗ってないとインディアン。ここで同席者たちは、怒号のような大笑い。静粛に、と命令。が、効果はない。同席者たちは、はやし立てるのを止めない。判事は怒りをこめて、そうか、そうなら俺をこの判事席から下ろしてくれ。

====== = Their Diversions in this part of the Country are on Lecture days and Training days mostly: on the former there is Riding from town to town. And on training days The Youth divert themselves by Shooting at the Target, as they call it, (but it very much resembles a pillory,) where hee that hitts nearest the white has some yards of Red Ribbin presented him wch being tied to his hatband, the two ends streaming down his back, he is Led away in Triumph, wth great applause, as the winners of the Olympiack Games. They generally marry very young: the males oftener as I am told under twentie than above; and have a way something singular (as they say) in some of them, viz. Just before Joyning hands the Bridegroom quitts the place, who is soon followed by the Bridesmen, and as it were, dragg'd back to duty—being the reverse to ye former practice among us, to steal ms Pride.

＜講演会の日と訓練の日 Lecture days and Training days＞
ピューリタン社会では、教会に行くことは必須であったが、他方で、

娯楽がまったくなかった訳でもない。人々は歌ったり踊ったりしたし、酒も飲んだ。子供たちは親の監督下でゲームを楽しんだ。

　しかし、日曜日には必ず教会に行き、指導者たちの言葉に耳を傾けなければならなかった（欠席には罰金がともなった）。そこで居眠りでもすれば、仲間に起こされるか、あるいは、長い棒を持った係員に注意された。その棒の先には鳥の羽が結わえられていて、それは居眠りをしている老人をくすぐり、起きるようにうながすのであった。棒のもう一方の先には、堅い木の塊があり、それで笑ったり、居眠りをしている子供に注意を与えた。

　説教は、教会員の住む植民地の抱える問題を扱ったものも多く、それで真剣に聞くことが必要であった。

　このような社会では、講演会も訓練の日も娯楽になった。そこでは新たな出会いもあった。若い男たちは若い女性に出会う機会を得た。しかし、彼らは教会の厳めしい影響から完全に逃れることはできなかった。つまり、彼女たちのファーストネームの多くは、次のように、はっきりと教会の教えを反映したものであったからである。Patience 我　慢、Fruitful 多　産、Fear 畏　敬、Silence 沈　黙、Prudence 分別、Comfort なぐさめ。

★当地の娯楽は、講演会の日と訓練の日くらいのものです。前者の日には、町から町へ向かう乗馬があります。

　訓練の日の若者たちの気晴らしは、ターゲット目がけて撃つ射撃です。ここの人はターゲットと呼んでいるのですが、それはさらし台にとてもよく似ています。真ん中の白い部分にもっとも近いところを撃った者には、数ヤードの白いリボンが与えられます。それが彼の帽子に結びつけられると、その両端が背中を長いリボンのよう

に流れ、彼は意気揚々と、まるで古代のオリンピック大会の勝利者たちがそうであったように、大喝采で送られるのです。ここの人たちは、結婚が早いのが普通です。男性は20歳になる前に結婚する人の方が多いと聞きました。結婚式は公開されているのが普通ですが、なかにはとても変わったやり方があります（と、土地の人々は言っているのですが）。つまり、挙式直前に花婿が姿を消してしまい、付き添い役が、いわば無理矢理に、彼を式場まで引っ張り戻すという仕組みなのです―姿を消した花嫁を奪い返すという、私たちの以前のやり方の、反対というわけです。

====== = There are great plenty of Oysters all along by the sea side, as farr as I Rode in the Collony, and those very good. And they Generally lived very well and comfortably in their families. But too Indulgent (especially ye farmers) to their slaves: suffering too great familiarity from them, permitting ym to sit at Table and eat with them, (as they say to save time,) and into the dish goes the black hoof as freely as the white hand. They told me that there was a farmer lived nere the Town where I lodgd who had some difference wth his slave, concerning something the master had promised him and did not punctually perform; wch caused some hard words between them; But at length they put the matter to Arbitration and Bound themselves to stand to the award of such as they named—wch done, the Arbitrators Having heard the Allegations of both parties, Order the master to pay 40s to black face, and acknowledge his fault. And so the matter ended: the poor master very honestly standing to the award.

＜奴隷に対しては甘すぎます（特に農民たちは）too Indulgent
（especially ye farmers) to their slaves＞　農民たちはその仕
事・作業の性質上、毎日、奴隷と一対一で顔と顔をつきあわす時間、
つまり接触時間が長かったのではないかと思われる。そのため、両
者のあいだにある種の人間的な感情が生まれるのが自然ではないか。
また、南部とは異なり、黒人奴隷の数は相対的に少なく、白人社会
に脅威を与えるほどの存在ではなかった点も考える必要がある。
　その結果、「白い手と同じように黒い蹄」が盛り皿のなかで接触
するわけである。黒い蹄（black hoof）はもちろん黒い手の意味で、
ナイト夫人の考えでは、奴隷の手は馬やロバの蹄と同じなのである。
もう既にこの段階で強い偏見があり、差別も存在していたと見受け
られる。
　1619年８月、オランダの船がアフリカ人奴隷20人を（おそらく
西インド諸島から）バージニア植民地・ジェームズタウンに連れて
来た。これが現在のアメリカに導入された最初の奴隷である。
　正確には現在のバージニア州であるが、そこでは煙草栽培が盛ん
で、多くの人手が必要であった。
　奴隷の輸入は南部で盛んになり、ナイト夫人の旅の年である
1704年にはその数は10,000人になっていた。
　ロンドンの大火事（1666）とソロモン・イーグルについては前
述したが、それも黒人奴隷の増加に寄与していた。それまでアメリ
カ南部（バージニアとメリーランド）では年季奉公人（white
indentured servants）という形で安い白人労働者が確保されてい
たが、大火に見舞われたロンドン再建のためその労働力が奪われて

しまった。

　つまり、危険をおかして、あるいは冒険をして、新大陸に渡る必要が少なくなったのであった。

　さらに、イングランド本土での出生率が下がったことも、南部での黒人奴隷の増加に寄与した。1680年、バージニアとメリーランドの人口のうち７％が黒人であったが、1700年にはその割合は22％に昇った。その多くは元々バルバドス諸島やオランダの植民地ニューネザーランドにいた奴隷であった（ニューネザーランドは1684年、イギリスが征服し、ニューヨークと改名された）。

★この植民地の海岸には、私が馬で見た限りでは、牡蠣が非常にたくさんいて、しかもとても美味しいものです。たいていの人の家族生活は申し分なく快適ですが、奴隷に対しては甘すぎます（特に農民たちは）。奴隷の馴れ馴れしさは目に余ります。テーブルには同席、食事をともにして（彼らは時間を節約するためと言うのですが）、盛り皿のなかに、白い手と同じように黒い蹄を自由に突っ込むのです。

　私の泊まった町近くの農夫と彼の奴隷のあいだで、意見の齟齬がありました。何か約束の期限が守られなかったのです。両者のあいだで、粗暴な言葉のやりとりがあり、ついには決着をつけるため、この件は仲裁裁判に持ち込まれました。２人は裁定の審判に従うと約束しました。—この手続きが終わると、裁判官たちは両者の言い分を聞き、主人に自分の過失を認め、40シリングを黒い顔に支払うように命じました。これで一件落着。可哀想に、農夫は正直に約束を守りました。

====== = There are every where in the Towns as I passed, a Number of Indians the Natives of the Country, and are the most salvage of all the salvages of that kind that I had ever Seen: little or no care taken (as I heard upon enquiry) to make them other-wise. They have in some places Landes of their own making; -- they marry many wives and at pleasure put them away, and on the least dislike or fickle humour, on either side, saying Stand away are to one another is sufficient Divorce. And indeed those uncomely Stand away are too much in Vougue among the English in this (Indulgent Colony) as their Records plentifully prove, and that on very trivial matters, of which some have been told me, but are not proper to be Related by a Female pen, tho some of that foolish sex have had too large a share in the story.

＜その地の先住民 a Number of Indians the Natives of the Country＞　アメリカ合衆国はまだ誕生（1776）していない。インディアン Indians、あるいは先住民 Natives は、どちらが正しい表記なのか。

＜最高に野蛮な者 salvage of all the salvages＞　ナイト夫人は彼らを「最高に野蛮な者」と決めつけているが、それを裏付けるような経験があったのだろうか。彼女が10歳くらいの時のインディアンとの戦いを、シューアルは次のように記録している。「1676年6月6日、［コネティカットの］ハートフィールドでの戦い。イングランド人6人殺される。インディアンは14人ほど」。「7日、イン

ディアン90人殺害か捕虜に」。日常茶飯事ではないにしろ、こういった殺害が身近にあった時であった。

　salvage は現在では「難破船・火事などから救い出す」という意味が強いが、かつては savage という意味もあった。語源は to save。

＜愚かな女性 foolish sex＞　weaker sex（vessel）は、女性を意味するのが普通であった。

★私の通った町はどこもインディアンがいっぱいでした。その地の先住民で、私の見たなかでは最高に野蛮な者たちです。それを直そうとする努力は（尋ねてみて分かったのですが）ないに等しいものです。先住民は場所によっては自分たちの土地を持ち、自分たちの手で作った法律で統治されています─男たちには多くの妻がいて、気ままに遠ざけます。どちらかの側に不和が少しでもあれば、また気まぐれに「引き下がれ」と言えば、双方にとって離婚が十分に成立するわけです。無様な「引き下がれ」式離婚は記録が十分に示すように、この地域の（自分に甘い）イングランド人のあいだでも流行っています。また、些細な件にもこのやり方が当てはまり、私の耳にもいくらかは入ったのですが、そのような話では愚かな女性があまりにも多く、女性のペンがそれを描くのは正しいことではありません。

====== = If the natives committ any crime on their own precincts among themselves, ye English takes no Cognezens of. But if on the English ground, they are punishable by our

Laws. They mourn for their Dead by blacking their faces, and cutting their hair, after an Awkerd and frightfull manner; But can't bear You should mention the names of their dead Relations to them: they trade most for Rum, for wch theyd hazzard their very lives; and the English fit them Generally as well, by seasoning it plentifully with water.

＜ラムをたっぷりと水で薄めて seasoning it plentifullly with water＞　その方が儲けは大きいし、またイングランド人にとっては先住民に酔っ払って暴れてもらうのも困るのである。

★先住民が自分たちの土地で犯す仲間内の犯罪であれば、イングランド人は関与しません。しかし、イングランド人の土地における犯罪ならば私たちの法律で罰せられます。先住民は自分たちの顔を黒く塗り、髪の毛を切り、奇妙で、また恐ろしいやり方で死者を悼みます。彼らは自分たちの親戚にあたる死者の名前が口にされるのを我慢できません。商取引で最も盛んなのはラムです。そのためには命を賭けてもいいというくらいです。イングランド人もたいていはラムをたっぷりと水で薄めて彼らに十分に応えています。

====== = They give the title of merchant to every trader; who Rate their Goods according to the time and spetia they pay in: viz. Pay, mony, Pay as mony, and trusting. Pay is Grain, Pork, Beef, &c. at the prices sett by the General Court that Year; mony is pieces of Eight, Ryalls, or Boston or Bay shillings (as they call them,) or Good hard money, as sometimes silver coin is termed by them; also Wampom, viz' Indian beads wch serves for change. Pay as mony is provisions, as aforesd one Third cheaper then as the Assembly or Genel Court sets it; and Trust as they and the mercht agree for time.

＜正貨で spetia＞　spetia は発音のちかい specie ではないかと思われる。

＜ワムパム、つまりインディアンの貝殻玉ビーズ Wampom, viz' Indian beads＞　たいした価値がないので、釣り銭にしか使われなかった。Wampum.

★交易者には貿易商人という肩書きが与えられます。彼らは支払う時期と支払いに使用する正貨（つまり貨幣そのもの、あるいは貨幣代わりのもの、それに掛け売り）で商品を評価します。取引は掛け売りです。貨幣代わりになるのは、その年の植民地議会が決める穀物、豚肉、牛肉などの価格です。貨幣はスペインのペソ銀貨、古い金貨、また、ここの人が湾岸シリングと呼んでいるボストン・シリング、あるいは、銀貨が時にはそう呼ばれているのですが、これは額面通りに使われている硬貨です。また、ワムパムは釣り銭に使われます。貨幣代わりのものは前述の食糧で、集会、つまり植民地議会の下院が決める価格より3分の1安くなります。掛け売りの期限については売り手と買い手が同意する時です。

======= Now, when the buyer comes to ask for a commodity, sometimes before the merchant answers that he

has it, he sais, is Your pay redy?   Perhaps the Chap Reply's
Yes: what do You pay in? say's the merchant.   The buyer
having answered, then the price is set; as suppose he wants a
sixpenny knife, in pay it is 12d—in pay as money eight pence,
and hard money its own price, viz. 6d.   It seems a very
Intricate way of trade and what Lex Mercatoria had not
thought of.

＜商慣習法 Lex Mercatoria＞　Mercantile Law.

＜12ペンス12d＞　12 pence。Dollar はまだ誕生していない。

★ある商品を求めて買い手が店にやって来るとしましょう。売り手
はありますよと応える前に、支払いの用意はできているかと尋ねる
でしょう。で、男はイエスと答えるでしょう。支払い方法は、と商
人。買い手が答えると、価格が決められます。例えば、買い手の欲
しいものが安物のナイフとします。貨幣では12ペンス、貨幣代わ
りでは8ペンス。硬貨では額面通りの6ペンス。とても複雑な商取
引で、商慣習法が思いもよらなかったやり方です。

====== = Being at a merchants house, in comes a tall country
fellow, wth his alfogeos full of Tobacco; for they seldome
Loose their Cudd, but keep Chewing and Spitting as long as
they'r eyes are open, -- he advanc't to the middle of the Room,
makes an Awkward Nodd, and spitting a Large deal of
Aromatick Tincture, he gave a scrape with his shovel like

shoo, leaving a small shovel full of dirt on the floor, made a full stop, Hugging his own pretty Body with his hands under his arms, Stood staring rown'd him, like a Catt let out of a Basket. At last, like the creature Balaam Rode on, he opened his mouth and said: have You any Ribinen for Hatbands to sell I pray? The Questions and Answers about the pay being past, the Ribin is bro't and opened.

<頬 alfogeos>　おそらく "alforjas"。このスペイン語の意味は「振り分けの背負い袋・鞍」。

<預言者バラムが乗ったロバ　the creature Balaam Rode on>
バラムは「あてにならない予言者」と辞書にある。メソポタミアの占い師・バラムはイスラエルの民を呪うことを求められたが、乗っていたロバに戒められ、彼らを祝福した。旧約聖書「民数記」参照。
　この田舎者の男 a country fellow が、なぜ愚かな予言者を諫めた賢明なロバに例えられているのか、不明。

★商店に背の高い田舎育ちの男が入って来ます。頬には噛み煙草がいっぱい。噛み煙草のひと塊が彼らの口に入っていないってことは、まあ、なくて、目が開いている限り噛むことや唾を吐くことを止めるようなことはしません―この男は部屋の真ん中に向かい、ぎこちなくうなずくと、香りの強い液体を大量に吐き出し、シャベルのような靴で床を掻き、そこに小さなシャベル一杯分の砂を残し、彼自身の美しい体を腕の下に回した両手で抱きしめ、ようやく完全に立ち止まります。バスケットから出された猫のように、周りを見回し

ます。旧約聖書の預言者バラムが乗ったロバのように、彼は口を開けると言います。「帽子のバンド用リボンはありますか」。支払い方法のやり取りがあり、リボンが持って来られて開けられました。

====== = Bumpkin Simpers, cryes its confounded Gay I vow; and beckoning to the door, in comes Jone Tawdry, dropping about 50 curtsees, and stands by him: hee shows her the Ribin. Law You, sais shee, its right Gent, do You. Take it, tis dreadfull pretty. Then she enquires, have You any hood silk I pray? Wch being brought and bought, Have You any thred silk to sew it wth says shee, wch being accommodated with they Departed. They Generally stand after they come in a great while speachless, And sometimes don't say a word till they askt what they want, which I Impute to the Awe they stand in of the merchants, who they are constantly almost Indebted too; and must take what they bring without Liberty to choose for themselves; but they serve them as well, making the merchants stay long enough for their pay.

＜田舎者 Bumpkin Simpers＞　bumpkin は田舎者。simper は間の抜けた笑い方をするという意味の動詞。2つを合体して「野暮な田舎者」くらいの意か。ナイト夫人の造語。

＜ジェーン Jone Tawdry＞　tawdry は「安ピカの服を着た」。Jone は Jane の間違い？ これもナイト夫人の造語（だろう）。

★野暮な田舎者はこちらが当惑するような大きな声で派手に喜び、次いでドアに向かって合図をすると、安ピカの服をまとったジェーンが50回ほど頭を下げて、彼の隣に立ちました。彼は女にリボンを見せます。オヤ、マー。これはいいわ。あんた、これにするの、とてもいいわ。彼女の次のお尋ねは、頭巾用のシルクはあるかしら。それが持ってこられ、購入されると、次はそれを縫うためのシルクの糸はあるかしら。その要求がかなえられると、2人は立ち去りました。当地の人たちは、店に入ると、たいてい長い間、黙って突っ立っています。何が欲しいのか尋ねられまで、一言も口にしないのが普通です。商人にはほとんどいつも借金をしているので、自分たちが選択する余地もなく、商人が差し出すものを受け取らざるを得ないのだと私は思いました。でも、そのため、商人たちは代金を受け取るまで、長く留まっていなくてはならず、それなりに目的を果たしているのです。

====== = We may Observe here the great necessity and bennifitt both of Education and Conversation; for these people have as Large a portion of mother witt, and some-times a Larger, than those who have bin brought up in Citties; But for want of emprovements, Render themselves almost Ridiculos, as above. I should be glad if they would leave such follies, and am sure all that Love Clean Houses (at least) would be glad on't too.

They are generaly very plain in their dress, throuout all ye Colony, as I saw, and follow one another in their modes;

<Love Clean Houses> 一見、諺のようにみえるが、そうでは
ないようだ。

<on't too> on it too → about it, too

★ここで教育と対話の大いなる必要性とそれがもたらす恩恵を指摘
しておきましょう。と言うのも、当地の人々には持ち前の知恵があ
り、それは時には都市で育った人間のものより立派なものなのです
が、ただ改善改良が見られないので、上記の例が示すように、ここ
の人たちをまるで愚か者のようにしているのです。ここで見られた
愚行の数々を彼らが捨て去れば私にとっても喜ばしいことであるし、
また清潔な家が好きな人たちも（少なくとも）それについては喜ぶ
ことでしょう。
　私が見たところ、当植民地の人々の服装はどこでもとても質素で、
ファッションにしてもみんなお互いの真似をしています。それで、
特に女性がそうなのですが、どこで出会っても、どのあたりの人か
分かるというものです。

====== = Their Chief Red Letter day is St. Election, wch is
annualy Observed according to Charter, to choose their
Govenr: a blessing they can never be thankful enough for, as
they will find, if ever it be their hard fortune to loose it. The
present Governor in Conecticott is the Honble John Winthrop
Esq. A Gentleman of an Ancient and of Honourable Family,
whose Father was Govenor here sometime before, and his
Grandfather had bin Govr of the Massachusetts. This

gentleman is a very courteous and affable person, much Given to Hospitality, and has by his Good services Gain'd the affection of the people as much as any who had bin before him in that post.

＜特筆すべき日は聖選挙日 Chief Red Letter day is St. Election＞ red letter は赤文字で書くほど重要な日。Saint Election という名称の日はもちろんない。少々オーバーに言ってユーモアをねらったのか。

＜特許状 Charter＞　マサチューセッツ植民地やコネティカット植民地などは英国王が下付した特許状（the Royal Charter）に基づいて建設された。Charter colony　特許植民地。

＜ジョン・ウィンスロップ様　the Honble John Winthrop Esq.＞ コネティカット植民地の総督（1606-76 / 1698-1707）。同名の父親（1588-1649）は、マサチューセッツ湾植民地の初代総督（1631-1648）。

★住民にとって特筆すべき日は、聖選挙日です。特許状にしたがって、毎年、自分たちの総督を選ぶ日です。選挙権を失うという不幸な運命に遭えば分かることですが、この権利は、十分に感謝しきれないほどの祝福なのです。コネティカット植民地の現総督は、ジョン・ウィンスロップ様です。古くからの名誉ある家族出身の方で、お父上は、少し前まで当地の総督、御祖父様はマサチューセッツの総督でした。この方は、とても礼儀正しく、また物腰が柔らかく、

人を歓待するのが上手で、さらに優れた施政で、この地位についた
どの人にも負けないくらい住民に愛されていました。

====== = Decr 6th. 'Being by this time well Recruited and
rested after my Journy, my business lying unfinished by some
concerns at New York depending thereupon, my Kinsman, Mr.
Thomas Trowbridge of New Haven, must needs take a Journy
there before it could be accomplished, I resolved to go there in
company wth him, and a man of the town wch I engaged to
wait on me there. Accordingly, Dec. 6th we set out from New
Haven and about 11 same morning came to Stratford ferry;
wch crossing, about two miles on the other side Baited our
horses and would have eat a morsel ourselves, But the
Pumpkin and Indian mixt Bred had such an Aspect, and the
Bare-legg'd Punch so awkerd or rather Awfull a sound, that we
left both, and proceeded forward,

＜旅の疲れ my Journy＞　前回の記入は10月７日。この日は12月
７日であるから２カ月経っている。「旅の疲れから十分に休息し回
復した」のは当然であろう。しかも、もう冬である。

＜ニューヨーク New York＞　ニューヘーヴンからニューヨークま
では、現在のハイウエイで129キロ。ボストンからニューヨークは
306キロ。

＜ニューヘーヴンの親戚、トーマス・トローブリッジ氏 my

Kinsman, Mr. Thomas Trowbridge of New Haven＞ kinsman
と cousin は（義理の親など）婚族と血族・肉親を意味していたと
言われるが、ナイト夫人とトローブリッジ一族との関係は不明（夫
人の夫と関係があったのか）。

　トーマスには、ジョン、ケイレブ、ダニエルの3兄弟がいた。そ
の1人、ケイレブ・トローブリッジが、この年（1704）の9月10
日、亡くなった。彼はボストンで結婚してまだ2カ月も経っていな
かった。6歳年下の彼の妻メアリーは今後どのように暮らしていけ
ばいいのか。

　ナイト夫人は、ケイレブが新妻（未亡人）に残した遺産について
（おそらく）話し合うために、ニューヘーヴンに向かったのであろ
う。前述のガン教授は、トーマス・トローブリッジは、「おそらく
ケイレブの父」と言っている。

　ナイト夫人は、「旅の疲れから十分に休息し回復した」と述べて
いるが、この2カ月間どこに宿泊していたのだろうか。彼女の日誌
には明示されていないが、おそらくケイレブの実家、コネティカッ
トの名家、トローブリッジ家の世話になっていたのではないか。

　この一家のアメリカでの始祖は、初代トーマス・トローブリッジ。
彼は、英本国で毛織物を扱う商人であったが、1635年にアメリカ
へ行く決心をした。同行者は、妻のエリザベスと次男トーマスと三
男ウィリアム（夫妻は7歳になっていた長男ジョンは、祖父に預け
た（タマゴ全部を一つの籠に入れるなという諺がある）。新大陸で
彼らが身を寄せたのはトーマスの友人、トーマス・ジェフリーの住
むマサチューセッツ植民地のドーチェスターであった。

　教会の古い記録によれば、この夫婦の名前には Mr. と Mrs. がつ
けられている。当時のしきたりでは、これらの敬称は上流階級の者

にしか許されていなかった。トローブリッジ家は、移住した段階で、既にある程度の社会的地位を獲得していたように思われる。

　その上、トーマスは the Ancient and Honorable Artillery Company of Boston のメンバーにも選ばれていた。Artillery Company は砲兵隊を意味するが、実際には、このグループはボストンの社交団体であった。メンバー表には、彼の姓名は、Thomas Strawbridge と誤って綴られていたが、S をとれば立派にトローブリッジである。

　1638年、一家はニューヘーヴンに引っ越した。（アメリカでの）最初の子供が生まれた。41年の記録には、夫婦と3人の子供が記載され、また、そこに記録されている123家族のうち、トローブリッジ家は最大の地所保有者の一つであった。

　妻エリザベスが亡くなった。本国ではクロムウェル（Oliver Cromwell, 1599–1658）の清教徒革命（Puritan Revolution / English Civil War, 1642–49）が進行中であった。

　トローブリッジは、故郷イングランドに帰った。彼は、国王（Charles I）と王党派（Cavaliers）に反対して戦っていたクロムウェル（Oliver Cromwell, 1599–1658）の率いる議会派清教徒（Round-head）に加わった。そのため、彼はアメリカに戻ることもできなかったし、また、そこに残してきた3人の子供を呼び寄せることもできなかった。

＜ストラトフォード渡河場所 Stratford ferry＞　フーサトニック川（Housatonic River）の河口にある。町そのものは1639年に、ピューリタンたちが建設した。

＜カボチャとトウモロコシを混ぜたパン the Pumpkin and Indian mixt Bred＞　Native Food: Pumpkin Bread: https://indiancountrytoday.com/archive/native-food-pumpkin-bread
２カ月間のニューヘーヴン滞在中に、贅沢な食事に慣れてしまっていたのか。

＜飾り気のないパンチ Bare-legg'd Punch＞　そういった名前の飲み物があったのかもしれないが、詳細不祥。ただ、何も覆うもののない「むき出しの脚」という名のパンチは、慎み深く行動しなければならない女性には、飲むことはもちろん、注文することさえはばかれたのかもしれない。

★12月６日　この時までに旅の疲れから十分に休息し回復しましたが、私にはニューヨークの関係者との仕事が残っており、また、ニューヘーヴンの親戚、トーマス・トローブリッジ氏もそれに関連する仕事があるので、ニューヨークへ行かなくてはなりませんでした。それで私も一緒に行くことにしました。ニューヨーク滞在中に助けてもらうため、この町の男１人を雇いました。それで12月６日、私たちはニューヘーヴンを発ち、その日の朝11時頃、ストラットフォード渡河場所に来ました。川を渡り対岸を２マイルほど進み、馬たちに草を食べさせました。私たち自身も軽食をとるつもりでしたが、カボチャとトウモロコシを混ぜたパンでは食欲もそそらず、飾り気のないパンチは無様で、と言うか響きも悪く、私たちはどちらにも手をつけず、前進しました。

====== = and about seven at night come to Fairfield, where

146

we met with good entertainment and Lodg'd; and early next
morning set forward to Norowalk, from its halfe Indian name
North-walk, when about 12 at noon we arrived, and Had a
Dinner of Fryed Venison, very savoury. Landlady wanting
some pepper in the season, bid the Girl hand her the spice in
the little Gay cup on ye shelfe. From hence we Hasted
towards Rye, walking and Leading our Horses neer a mile
together, up a prodigious high Hill; and so Riding till about
nine at night, and there arrived and took up our Lodgings at
an ordinary, wch a French family kept. Here being very
hungry, I desired a fricassee, wch the Frenchman
undertakeing, managed so contrary to my notion of Cookery,
that I hastned to Bed superless; And being shewd the way up a
pair of stairs wch has such a narrow passage that I had almost
stopt by the Bulk of my Body; But arriving at my apartment
found it to be a little Lento Chamber furnisht amongst other
Rubbish with a High Bedd and a Low one, a Long Table, a
Bench and a Bottomless chair, —— Little Miss went to scratch
up my Kennell wch Russelled as if shee'd bin in the Barn
amongst the Husks, and supose such was the contents of the
tickin—nevertheless being exceeding weary, down I laid my
poor Carkes (never more tired) and found my Covering as
scanty as my Bed was hard.

＜フェアフィールド Fairfield＞　ニューヘーヴンから25 miles の
ところにある。次の Norowalk まではさらに15キロ。人口構成：

白人88.8％、黒人2.1％、先住民0.0％、完全にゼロである。
07/01/2019。

＜ライ Rye＞　ここまで来ると、ニューヨークまでは残り50キロ。
人口構成：白人88.2％。黒人1.3％。先住民0.8％。07/01/2019。

＜フリカッセ fricasse＞　フランスの煮込み料理。鶏・仔牛肉など
を表面が色づかないように焼き、白いソースで煮て仕上げる（広辞
苑）。

＜犬小屋 Kennell＞　犬小屋と言ってもおかしくないほど、お粗末
な寝室。Kennel には掘っ立て小屋という意味もある。Apartment
は、語源的には「区分されたもの」であり、この場合、どれほど立
派に apart されていたか不明。
　ナイト夫人の旅と同じ頃、芭蕉は京都・嵯峨野の落柿舎（向井去
来宅）を訪れ、『嵯峨日記』（1691）を残した。
　「落柿舎は、昔の持主が造ったままで、所々やぶれているが、立
派に造り立てた昔の様より、いまの崩れかけた様子の方が却って
ずっと心惹かれる」。
　間取り図が残されているが、何年のものか不明。https://www2.
yamanashi-ken.ac.jp/~itoyo/basho/saganikki/saga011.htm　　6
畳の部屋が最大で、残りは4畳半が3部屋、3畳が2、2畳が2、
それに台所、風呂場、便所などがあった。
　4月20日の『嵯峨日記』:「今晩は、羽紅・凡兆の夫婦を泊めた
ので、5人が一張りの蚊帳で寝たため、狭くて寝苦しく、夜中過ぎ
にはみんな起き出し、昼の菓子や酒などを取り出して、朝方まで話

しあかした」。

　大書された落柿舎制札（５項目の注意書き）が廊下に掲げられて
いた。それには、「雑魚寝には心得あるべし　大鼾をかくべからず
誹諧奉行　向井去来」とあった。

　ナイト夫人が悩まされる同宿者の大鼾が、嵯峨野でも旅人や誹諧
奉行を悩ましていた。落柿舎を辞去するにあたり、芭蕉は、「五月
雨や色紙へぎたる壁の跡」を残した。

　この時代、鼾に悩むことのない庶民的な宿というものは、存在し
なかったと考えてもいいのではないか。

　時代はずっとさかのぼるが、身分の高い家に生まれながら、禰宜
の職に就けず、隠居した鴨長明（1155?–1216）などは恵まれてい
た方になるのかもしれない。『方丈記』（1212年）を著した彼の
「方丈の庵」は、せいぜい畳数枚くらいのスペースで、そこに文机
や楽器、生活道具を置くと、残りは１人分のスペースしかなく、
「大鼾をかく」ような人物も、そうでない人も泊まる余裕はなかっ
たからだ。

　この方丈の家のレプリカが下鴨神社にある。一見の価値あり。
https://www.shimogamo-jinja.or.jp/bireikigan/

＜そのせいで彼女が不機嫌 such was the contents of the tickin＞
tickin は ticking か。Tick ぶつくさ言う。

★夜の７時になってフェアフィールドに着きました。そこは、持て
なしもよかったので、泊まりました。翌朝早く、ノロウォークに向
かいました。この地名は、ノースウォークのなまった、半分イン
ディアンの名称です。そこへは、12時正午ごろに到着、フライに

された鹿肉を昼食にとりました。とても風味のあるものでした。味加減に使うので、女主人は、棚にある派手なカップに入ったスパイスを手渡すように、女の子に命じていました。ここから、私たちはライに向かって急ぎました。全体で1マイルほどの険しい丘陵を私たちは歩き、馬を引っ張りました。そんな具合にして、乗り続けて、夜の9時頃に目的地に着き、定食屋に宿をとりました。フランス人家族が経営しているものです。ここで、私はとてもお腹がすいていたので、フリカッセが欲しかったのですが、料理担当のフランス人男性が、私の思う調理法とは全く異なるものを作り出したので、私は夕食なしでベッドに急ぎました。階段を2、3段上がるようにと言われていたのですが、そこはとても狭く、私の体ではやっとの思いで通るのが、精一杯でした。部屋に入ると、差掛け小屋の部屋だと分かりました。いろんなガラクタのなかに高いベッド、低いベッド、長テーブル、ベンチ、座部のない椅子がありました―少女が、私の犬小屋を軽く掃除をしたのですが、その時、この少女がこれまで納屋にいて、そこのトウモロコシの皮のなかで、寝ていたような音がしました。そのせいで、彼女が不機嫌であったのかと、私は思いました―それにもかかわらず、あまりにも疲れていた私は、ベッドで横になりました（こんなに疲れたのは初めて）。ベッドは硬く、カバーは不十分でした。

====== = Annon I heard another Russelling noise in Ye Room —called to know the matter—Little miss said she was making a bed for the men; who, when they were in Bed complained their legs lay out of it by reason of its shortness—my poor bones complained bitterly not being used to such Lodgings, and so did the man who was with us; and poor I made but one Grone, which was from the time I went to bed to the time I Riss, which was about three in the morning, Setting up by the Fire till Light, and having discharged our ordinary wch was as dear as if we had had far better fare——wee took our leave of Monsier and about seven in the morn come to New Rochell a French town, where we had a good Breakfast. And in the strength of that about an how's before sunset got to York.

＜しばらくすると Annon＞　anon ほどなく。

＜ニューロシェル New Rochell＞　この地も、信仰の自由を求めた人たちによって建設された。1685年、フランスでプロテスタント（ユグノー）の信仰の自由と政治上の平等を認めていたナントの勅令が、廃止された。それを嫌ったフランス西部のラ・ロシェルの新教徒たちが当地に移住、故郷の地名に新天地の「新」を加えて、ヌーヴェル・ロシェル（Nouvelle-Rochelle）と呼んだ。ナイト夫人の日誌にも、このあたりのフランス人への言及が見られる。
　トーマス・ペイン（Thomas Paine, 1737–1809）はニューロシェル市内に滞在したことがある。
　この町の総人口：77,062人。うち、白人：50,231人、アフリカ系：14,847人、ネイティブ・アメリカン：398人。国勢調査2010年。

＜同宿者の男 so did the man who was with us＞　3人目の男が、相部屋だったのか。"With us" はナイト夫人と同行のトーマス・ト

ローブリッジ氏、それに彼女に仕える「滞在中に助けてもらうため、この町の男1人」を指すのだろう。

＜ヨーク York＞　New York のことだろう。

★しばらくすると、室内でまたガサゴソと音がするので—どうなっているのと訊くために声をかけると、男たちのベッドを用意しているのですと少女が言う。男たちはベッドに入ると、ベッドが短いので、足が出てしまうと苦情。—私はこのような宿になれていないので、体中の骨が痛く、また、同宿の男も同じ運命でした。私は、不平のうめき声を一度だけあげましたが、それは横になってから起床までのことで、朝3時頃には起きあがり、日光が差し込むまで、火のそばに座っていました。この宿の支払いを済ませ—もっといいところでも、こんなに高くはなかったでしょう—ここのムッシューに別れを告げ、朝の7時頃、フランス人の町、ニューロシェルに来ました。いい朝食にありつきました。それに力をもらって、日没の1時間ほど前にヨークに着きました。

====== = Here I applyd myself to Mr. Burroughs, a merchant to whom I was recommended by my Kinsman Capt. Prout, and received great Civilities from him and his spouse, who were now both Deaf but very agreeable in their Conversation, Diverting me with pleasant stories of their knowledge in Brittan from whence they both come, one of which was above the rest very pleasant to me viz. my Lord Darcy had a very extravagant Brother who had mortgaged what Estate hee could not sell,

and in good time dyed leaving only one son. Him his Lordship
 (having none of his own) took and made him Heir of his
whole Estate, which he was to receive at the death of his Aunt.
He and his Aunt in her widowhood held a right understanding
and lived as become such Relations, shee being a discreet
Gentlewoman and he an Ingenios Young man.

<親戚のプラウト大尉 my Kinsman Capt. Prout> ナイト夫人の
ボストンの知り合いにティモシー・プラウトがいた。その彼に紹介
されて、夫人はこの地で、彼の息子ジョンに会った。彼は、当地の
有力者・ヘンリー・ラザフォード（Henry Ruther-ford）の娘と結
婚していた。ラザフォードには、もう１人娘メアリーがいて、彼女
がケイレブ・トローブリッジと結婚した。その時、新郎は、父から
ニューヘーブンの「邸宅、納屋、（父が先住民から「購入」してい
た）広大な土地など」を受け取っていた。しかし、彼は結婚早々に
亡くなった（ケイレブが亡くなったのは、1704年９月10日と記録
されている／８人の兄弟姉妹がいた）。ナイト夫人の出発は同年10
月２日だから、ずいぶんと早く決断を下したように思える（多分、
遺産相続に関する交渉の件）。
　余談だが、未亡人メアリーは1708年に再婚、1733年に亡くなっ
た。

★親戚のプラウト大尉に勧められていた、貿易商人のバローズ氏に
面会を求めたところ、氏と奥様にとても丁寧に迎えられました。お
二人とも、今は耳がご不自由なのですが、会話をしていても、どち
らもとても感じのいい方でした。英国ご出身で、よくご存じのその

地について面白い話をしてくださり、私の気を紛らわせてください
ました。そのなかでも、私にとって特に面白かったのはダーシー卿
の話です。彼には浪費癖のある弟がいて、この人物は、売りさばけ
ない土地を抵当に入れてました。やがて彼は亡くなります。後に残
されたのは、息子が1人。ダーシー卿には子供がなかったので、こ
の子を叔母の亡くなった時には、彼の土地全部の受取人に指定しま
した。この子と未亡人になった叔母は正しい理解の下、お互いにふ
さわしい関係、つまり彼女は思慮深い上流夫人、彼は彼で気高い若
者として生活していました。

====== = One day Hee fell into some Company though far
his inferiors, very freely told him of the ill circumstances his
fathers Estate lay under, and the many Debts he left unpaid to
the wrong of poor people with whom he had dealt. The Young
gentleman was put out of countenance—no way hee could
think of to Redress himself—his whole dependance being on
the Lady his Aunt, and how to speak to her he knew not—Hee
went home, sat down to dinner and as usual sometimes with
her when the Chaplain was absent, she desired him to say
Grace, wch he did after this manner:

Pray God in Mercy take my Lady Darcy
    Unto his Heavenly Throne,
That Little John may live like a man,
    And pay every man his own.

The prudent Lady took no present notice, But finishd dinner, after wch having sat and talk't a while (as Customary)

＜ずいぶんと身分の低い男たち some Company though far his inferiors＞　未払いの金について父への苦情を申し立てられたのだろう。

＜頼みの綱といえば叔母しかありません his whole dependance being on the Lady his Aunt＞　蛇足ながら、ダーシー夫人は若者の父の姉妹である。

★ある日、この若者はずいぶんと身分の低い男たちに出会いました。それで、彼の父親の土地がおかれている経済状態、さらに父と関係のあった貧しい人々が被った不正に対して、彼らに未払いのままの多額の借金について包み隠さず話してしまいました。若い紳士は落ち着きをなくしました—彼には弁済する術がありません—頼みの綱といえば叔母しかありません。彼女にどのように話を切り出せばいいのか、彼には分かりません—若者は家路につき、夕食の席につきました。牧師がいない時はそうであったのですが、叔母は彼に食前のお祈りをするように頼みました。彼は次のように唱えました。

　　慈悲深い神よ、ダーシー夫人を
　　天国の神の王座にお呼びください
　　可哀想なジョンが男らしく生活できるように
　　そして借金を皆に返せるように

賢明な夫人はその場では注意などしないで、また食後はいつもどおりそのまま座って会話をしばらく続けました。

====== = He Riss, took his Hatt and Going out she desired him to give her leave to speak to him in her Clossett, Where being come she desired to know why hee prayed for her Death in the matter aforesaid, and what part of her deportment towards him merited such desires. Hee reply'd, none at all, But he was under such disadvantages that nothing but that could do him service, and told her how he had been affronted above, and what Impressions it had made upon him. The Lady made him a gentle repri- mand that he had not informed her after another manner, Bid him see what his father owed and he should have money to pay it to a penny, and always to lett her know his wants and he should have a redy supply. The Young Gentleman charm'd with his Aunts Discreet management, Beggd her pardon and accepted her kind offer and retrieved his fathers Estate, &c. and said Hee hoped his Aunt would never dye, for shee had done better by him than hee could have done for himself.

＜私室 her Clossett＞　clossett は closet。接見、勉強などのための私室という意味がある。

★彼が立ち上がり、帽子を取り外に出ようとすると、叔母は私室で話をしたいと望みました。そこに落ち着くと彼女は彼に、先述のよ

156

うにどうして私の死を願ったのかと尋ねました。私の振る舞いのどこが悪かったのでしょうか。何もありませんと彼は答えます。でも、前述したように近寄ってきて話しかける人物がいたこと、私の役に立つものは何もなく、不利な立場に立たされたこと、これらが残した印象について話しました。夫人はもっと早く言ってくれるとよかったのにと彼を軽くたしなめ、彼が父親の借金の額を調べれば、最後のペニーに至るまでそれを払う資金をあげましょうと話しました。そして、これからは必要なものはいつも話してくれるように、そうすればすぐに用意しましょう。若者は叔母の思慮深い解決策に喜び、許しを求め、また彼女の親切な申し出を受け入れ、父親の地所などを取り戻しました。そして、叔母が死ぬようなことのないように望んでいると伝えました。彼自身よりも叔母がうまくやってくれたからです。

====== = Mr. Burroughs went with me to Vendue where I bought about 100 Rheem of paper wch was retaken in a flyboat from Holland and sold very Reasonably here — some ten, some Eight shillings per Rheem by the Lott wch was ten Rheem in a Lott. And at the Vendue I made a great many acquaintances amongst the good women of the town, who courteously invited me to their houses and generously entertained me.

＜競売場 Vendue＞　vendue は辞書には「公売、競売」とある。

＜100リーム rheem＞　ream（製紙）480枚（また500枚、または

516枚とも）。リーダーズ英和辞典）／（米）500枚。（英）480枚。
ジーニアス英和辞典。

<快走平底船 a flyboat> 　flyboat は「オランダ沿岸の航行に使わ
れる平底船；（運河を航行する）快走平底船」。「輸送用に設計され
た帆船」（リーダーズ英和辞典）。Fluyt （17世紀北欧の３本マスト
の商船）。

★バローズ氏が競売場へ同行してくださいました。そこで私は100
リームの用紙を買いました。オランダから快走平底船でここに持ち
込まれ、とても安い値段で販売されています。―10リームが１ロッ
トで、ロットあたり10あるいは８シリングです。ここで私はこの
町の多くの善良な女性と知り合いになりました。この人たちは親切
にも私をご自宅まで招待してくださり、気前よくもてなしてくださ
いました。

====== = The Citie of New York is a pleasant, well
compacted place, situated on a Commodius River wch is a fine
harbour for shipping.　The Buildings Brick Generally, very
stately and high, though not altogether like ours in Boston.
The Bricks in some of the Houses are of divers Coullers and
laid in Checkers, being glazed look very agreeable.　The inside
of them are near to admiration, the wooden work, for only the
walls are plastered, and the Sumers and Gist are plained and
kept very white scowr'd as so is all the partitions if made of
Bords.　The fire places have no Jambs (as ours have) But the

Backs run flush with the walls, and the Hearth is of Tyles and is as farr out into the Room at the Ends as before the fire, wch is Generally Five foot in the Low'r rooms, and the piece over where the mantle tree should be is made as ours with Joyners work, and as I suppose fasten'd to iron rodds inside. The House where the Vendue was, had Chimney Corners like ours, and they and the hearths were laid wth the finest tile that I ever see, and the stair cases laid all with white tile which is ever clean, and so are the walls of the Kitchen wch had a Brick floor. They were making Great preparations to Receive their Governor, Lord Cornbury from the Jerseys, and for that End raised the militia to Gard him on shore to the fort.

＜ゆったりと流れる川 situated on a Commodius River＞ ハドソン川 (the Hudson) のことだろう。その河口にニューヨーク（市）がある。川の反対側はニュージャージー（州）。

＜総督のコーンベリー卿をジャージーからお迎え to Receive their Governor, Lord Cornbury from the Jerseys＞ コーンベリー総督 (Edward Hyde / 1661–1723) は無能であった。彼はアン女王 (1665–1714 / 1702–08) の従兄 (first cousin) であるという偶然のおかげで総督の地位に任命されたと言っても過言ではない。彼は1702年５月、植民地の総督になるためニューヨークに到着した。移住者たちは彼を「酔っ払い」、「見栄っ張りの馬鹿者」、「浪費家」、「迫害者」などと呼んだ。さらに彼には奇妙な癖があった。女装である。

ニューヨーク歴史協会に「正体未確認の女性ポートレート」と呼ばれる18世紀初期の絵画がある（それには女装の人物が描かれている）。コーンベリー総督を描いたものだという指摘をする人も多い。その「女性」には「5時の影 five o'clock shadow」と呼ばれる、夕方の黒みを帯びたあごひげがくっきりと描かれている。
https://www.nyclgbtsites.org」/site/portrait-of-an-unidentified-woman-lord-cornbury-new-york-historical-society/　あごひげの持ち主は誰なのか議論が続いている。

　コーンベリーは、なんら恥じることなく、女性の姿で公共の場に姿を見せた。アン女王の親戚であることを見せつけ、権威を保とうとしていたのかもしれない。シューアルは「あの忌まわしい者」と書き残している。1708年、彼は本国に召喚されることになったが、多くの借金取り立て人の苦情を受けてニューヨーク当局（Sheriff）に取り押さえられ、投獄された。翌年、彼の父が亡くなった。幸運なことに彼は父の後を継ぎ、コーンベリー子爵に叙せられ、無罪放免された。英本国にとっても、その植民地にとっても、このくらいの主従関係がお互いに都合が良かった時代であった（有益なる怠慢 salutary neglect）。

★ニューヨークは気持ち良く、うまくコンパクトにまとまった町で、ゆったりと流れる川に接しています。海運業に適した港町です。建物はたいていレンガ造りで、高く堂々としています。でもボストンのものにそっくりいう訳ではありません。家によってはレンガの色も違い、市松模様に積まれたものもあり、釉薬をかけてあるのでとてもきれいに見えます。室内は整然としていて見とれてしまいます。漆喰を塗ってあるのは壁だけで、あとの仕上げは木製で、大梁と根

太にはカンナがかけてあり、薄い茶色の焦げ目がついています。板で作られた隔壁も同様です。暖炉には（私たちのものとは異なり）炉端の抱き石はないし、また背面は壁と同一平面にあります。炉床はタイル製で、火の燃えるところと同じく両側が部屋に突き出ています。それは1階ではたいてい5フィートで、炉額（ろびたい）の上にあるべきものは私たちのところと同様、指物師の手仕事で、内側で鉄棒に固定されているのだと思います。競売が開かれた会場には私たち同様、炉端があって、炉端も炉床も私がこれまでに目にしたことのないような素晴らしいタイルが敷き詰められていました。階段室はどこも白いタイルで、とても清潔で、キチンの壁も同様で、床はレンガでした。皆さんは総督のコーンベリー卿をジャージーからお迎えする準備で大わらわで、上陸地点から砦まで警護する民兵隊を作りました。

====== = They are Generally of the Church of England and have a New England Gentleman for their minister, and a very fine church set out with all Customary requisites. There are also a Dutch and Divers Conventicles as they call them. viz. Baptists, Quakers, &c. They are not strict in keeping the Sabbath as in Boston and other places where I had bin, But seem to deal with great exactness as farr as I see or Deall with. They are sociable to one another and Curteous and Civill to strangers and fare well in their houses. The English go very fasheonable in their dress. But the Dutch, especially the middling sort, differ from our women, in their habitt go loose, were French muches wch are like a Capp and a head band in

one, leaving their ears bare, which are sett out wth Jewells of
a large size and many in number.　And their fingers hoop't
with Rings, some with large stones in them of many Coullers
as were their pendants in their ears, which You should see
very old women wear as well as Young.

＜イングランド国教会 the Church of England＞　1534年、王妃
との離婚を認められなかったヘンリー8世（1491-1547 / 1509-
47）が、ローマ教皇（カトリック教会）と決裂、イングランド国
教会初代首長になり（1538）、国と教会のプロテスタント化が進め
られた。

　1559年のエリザベス1世（1533-1603 / 1558-1603）による礼
拝統一法（Act of Uniformity）の制定により、国教会が確立され
た。

　しかし、カトリック教会の要素を撤廃できなかったので、それに
反発したグループが分離した（Separatists の誕生）。

　ヘンリー8世は、寡婦になっていた兄嫁キャサリン・オブ・アラ
ゴンと結婚したが、男系の子宝に恵まれず、33年、彼女の侍女ア
ン・ブーリン（Anne Boleyn, 1507-36）と再婚、しかし、彼女に
も世継ぎが生まれず、で、アンは処刑（！）された。

　王は、結局6回結婚し、妻2人を処刑、2人を離婚した。この間
の事情については、中野京子『画家とモデル─宿命の出会い』（新
潮社、2020）参照。

　結婚運の悪い（？）王は、宮廷画家のハンス・ホルバイン
（Hans Holbein, 1497-1543）に肖像画を描かせた。また、ホル
バインを各地に派遣し、花嫁候補の肖像画をも描かせた（見合い写

真代わり、とでも言うべきか）。

　この画家は、「大使たち Ambassadors」という興味深い絵を残している（1533）。大使の1人は、フランス王がヘンリー8世の宮廷に派遣した人物（ジャン・ド・ダントヴィル）で、もう1人は、司教のジョルジュ・ド・セルヴ。

　上下・左右とも2メートルを超える大画面に、2人の主人公が、等身大で、いかにも豪華な部屋の調度品に囲まれて立っている。トーンは静寂である。描かれている調度品や所有物の一つ一つに意味がある（と、考えられている）。

　司教が肘を置いている聖書には、彼の年齢（25歳）が描かれている。一方、ジャンの年齢は、彼の短剣の柄に示されている（29歳）。定規が挟んである本は、当時の知性を代表する人物の作品であり、さらに、ルターの讃美歌集も見られる。

　楽器のリュートの弦が1本切れている（これは、カトリック教会との分離を図ったヘンリー8世の考えを表しているのか）。

　日時計、地球儀、天球儀、それに分厚い書籍や、フルートなどの楽器も描かれている。目をこらして見れば、キリストの磔刑像も見つけることができるだろう。

　「大使たち」は、コロンブスの新大陸到達（1492）からまだ半世紀も経っていない時代の、ヨーロッパ社会の到達した文化の最高レベルの業績を示した絵ではないだろうか。

　このように考え出すと、この絵画には、多くの含意があるように思えてくる。そのベストの例が、床に転がる頭蓋骨である（正面からだと、何が描かれているのか不明で、ある角度からでないと、頭蓋骨には見えない）。

これは、ラテン語の"memento mori"、つまり、死を忘れるな、という教えである。この絵が描かれたのは、1533年だと考えられている。ヘンリー8世が、ローマのカトリック教会との決別を模索していた頃の作品である。その、王の苦悩を表しているのが、大使たちの渋面なのかもしれない。

　あるいは、王や2人のやがて見えてくる新しい世界と社会に立ち向かわなければならない運命に戸惑っているのかもしれない。

　「大使たち Ambassadors」の詳細は次のサイトに見られる。
https://www.nationalgallery.org.uk/paintings/hans-holbein-the-younger-the-ambassadors

＜他の場所ほど安息日を守りません not strict in keeping the Sabbath＞　ボストンのように教会へ行くことが強制されていなかった。

★ここの人はたいていがイングランド国教会で、牧師はニューイングランド出身の男性です。必要なものを全てそろえた、とても素晴らしい教会があります。オランダ改革派教会や、いわゆる他の非国教徒もいます。すなわち、バプテスト、クエーカーなどです。ニューヨークでは、ボストンや私がこれまでに訪れたことのある他の場所ほど、安息日を守りません。しかし、私が見たり、経験した範囲では、当地の人はとても厳格なようです。ここの人はお互い交際上手で、訪問客にも思いやりがあり、礼儀正しく、また暮らし向きもいいようです。イギリス人の服装は、とても当世風です。オランダ人、特に中間層はボストンの女性と異なります。衣服はルースで、縁なし帽子とヘッドバンドを1つにしたようなフランスのマ

チェスをかぶり、むき出しの耳は、たくさんの大きな宝石で飾られています。彼女たちの指にはリングがあります。いろんな色の大きな宝石が、耳にあるペンダント同様、そのなかに収まっています。年とった人も、若い人もこれらを身につけています。

====== = They have Vendues very frequently and make their Earnings very well by them, for they treat with good Liquor Liberally, and the Customers Drink as Liberally and Generally pay for't as well, by paying for that which they Bidd up Briskly for, after the sack has gone plentifully about, tho' sometimes good penny worths are got there. Their Diversions in the Winter is Riding Sleys about three or four Miles out of Town, where they have Houses of entertainment at a place called the Bowery, and some go to friends Houses who handsomely treat them. Mr. Burrough's cary'd his spouse and Daughter and myself out to one Madame Dowes; a Gentlewoman that lived at a farm House, who gave us a handsome Entertainment of five or six Dishes and choice Beer and metheglin, Cyder, &c. all which she said was the produce of the farm. I believe we mett 50 or 60 slays that day – they fly with great swiftness and some are so furious that they'le turn out of the path for none except a Loaded Cart. Nor do they spare for any diversion the place affords, and sociable to a degree, they'r Tables being as free to their Naybours as to themselves.

Having here transacted the affair I went upon and some other that fell in the way, after about a fortnight's stay there I left New-York with no Little regret, and

<バワリー the Bowery> 1. 植民地時代のオランダ人の農場。
2. ［the B-］バワリー街（ニューヨーク市の大通りの1つ；安酒場
や安宿のある地域）。飲み屋が多くて浮浪者のたむろする区域。
（リーダーズ英和辞典）

<リンゴ酒 Cyder> ブラックストーン牧師のところでも見たが、
リンゴは開拓者のあいだで人気があったようだ。後のジョニー・
アップルシード（Johnny Appleseed / John Chapman 1774–
1845）も、辺境でリンゴの種や苗木を配って歩き、名を残した。
　"An apple a day keeps the doctor away." ということわざは、
いつごろ誕生したのだろうか。
　その果実が後に apple cider や applejack という飲み物を生んだ。
現在、よく使われる次のフレーズにも、リンゴが登場する。"Flag,
motherhood, and applepie" は、「アメリカ的な」という意味が含
意され、そこには誰も否定できない、疑問の余地のない価値（観）
があると考えられている。その一例："Why are you so critical of
baseball? . . . something pure and noble like the American
flag, motherhood and apple pie." Howard Cosell, 1974.

<テーブルは、自分たちだけなく、隣人のものでもあるのです they'r
Tables being as free to their Naybours as to themselves> ナ
イト夫人は、「奴隷の馴れ馴れしさは目に余ります。テーブルには
同席、食事をともにして、盛り皿のなかに白い手と同じように黒い
蹄を自由に突っ込むのです」と記述している（10月7日）。

★競売は、とても頻繁に開かれていて、そこで大いに儲けています。美味しい酒類で気前よくもてなし、客もたっぷりと飲み、酒類が十分に回ると、彼らは小気味よく競り落とした商品の支払いをすませ、普通そうして酒の支払いもしています。大金が動く時もあります。冬の気晴らしは、町から3、4マイル行ったところでするソリ乗りです。バワリーと呼ばれる所に娯楽施設がいくらもありますし、また、友人の家に行く人もいます。そこで気持ちのいい接待を受けます。バローズ氏は、奥さんと娘さんを、それに私も、ダウズ夫人のところまで連れて行ってくださいました。この教養ある夫人は、農家に住んでおられて、5、6種類の料理、えり抜きのビール、蜂蜜酒、リンゴ酒などで、もてなしてくださいました。全部ここの農園のものだそうです。その日、私たちは50、60のそりに出会ったと思います—飛ぶように滑る人もいて、それが凄いのでコースをそれてしまい、荷だけを積んだソリが進んで行ったりします。ここの人たちは、気晴らしをするのに節約なんてことはしません。とても社交的で、テーブルは自分たちだけなく、隣人のものでもあるのです。

　当初の目的を処理し、それに関連して発生した用務も片付けたので、私は2週間ほどの滞在を終え、心残りはあったのですが、ニューヨークを出発しました。

====== = Thursday, Dec. 21, set out for New Haven wth my Kinsman Trowbridge, and the man that waited on me about one afternoon, and about three come to a half-way house about ten miles out of town, where we Baited and went forward, and about 5 come to Spiting Devil, Else Kings bridge, where they pay three pence for passing over with a horse, which the man that keeps the Gate set up at the end of the Bridge receives.

<中間点にある宿屋 half-way house>　2つの地点のおおよその中間点。この単語は現在では、これとまったく異なる「更生施設」という意味で使われるのが普通。

<スピッティング・デビル（あるいはキングズ・ブリッジ）Spiting Devil, Else Kings bridge>　ニューヨークを最初に占領していたオランダ人は、当地を Spuyten Duyvil と呼んでいた。オランダ語では、この周辺の海域の「荒々しい潮流」を指す。それを耳にしたナイト夫人には、Spitting Devil と聞こえたのかもしれない。Spiting と spitting は発音が異なる。

<キングズ・ブリッジ Kings bridge>　ハドソン川とハーレム川合流点近くにかかっていた木造の橋（1693）。1713年、石を大量に使った橋に改良された。さらに、この有料の橋を嫌って、対岸に向かう、別の橋が独立戦争直前に作られた（キングズ・ブリッジから約2キロ）。ダイクマンズ・ブリッジ（Dykeman's Bridge）と呼ばれる新しい橋は、Jacob Dykeman と仲間が建設した。しかし、この橋も独立戦争時、マンハッタン島侵入を図る英国軍に追われたジョージ・ワシントンによって破壊された（1776）。

★12月21日　木曜日。午後1時頃、親戚のトローブリッジ氏と私の面倒を見てくれていた男性と、ニューヘーヴンに向かいました。

３時頃、町を出て10マイルほどの中間点にある宿屋に着きました。そこで食事をし、進みました。５時頃にスピッティング・デビル（あるいは、キングズ・ブリッジ）に来ました。ここでは対岸に行くのに、人馬で３ペンスかかります。それを決めたのは、橋の向こう側で代金を受け取る門番です。

====== = We hoped to reach the french town and Lodg there that night, but unhapily lost our way about four miles short, and being overtaken by a great storm of wind and snow which set full in our faces about dark, we were very uneasy. But meeting one Gardener who lived in a Cottage thereabout, offered us his fire to set by, having but one poor Bedd, and his wife not well, &c. or he would go to a House with us, where he thought we might be better accommodated -- thither we went, But a surly old shee Creature, not worthy the name of woman, who would hardly let us go into her Door, though the weather was so stormy none but she would have turned out a Dogg. But her son whose name was gallop, who lived Just by Invited us to his house and shewed me two pair of stairs, viz. one up the loft and tother up the Bedd, wch was as hard as it was high, and warmed it with a hot stone at the feet. I lay very uncomfortably, insomuch that I was so very cold and sick I was forced to call them up to give me something to warm me. They had nothing but milk in the house, wch they Boild, and to make it better sweetened wth molasses, which I not knowing or thinking oft till it was down and coming up agen

wch it did in so plentifull a manner that my host was soon paid
double for his portion, and that in specia. But I believe it did
me service in Cleering my stomach. So after this sick and
weary night at East Chester, (a very miserable poor place,)
the weather being now fair,

＜フレンチタウン the french town＞　ニューロシェルか。アメリ
カに移住したのは、イギリス人だけではなかった。ニューロシェル
に移ったのは、フランスのロシェル出身者たちであった。また、移
住ではなく、イングランド軍に従軍した多数のヘッセン（ドイツ）
兵もいた。ワシントンとその軍を、マンハッタン島に追い詰めたの
は彼らであった。

＜イースト・チェスター East Chester＞　アン・ハッチンソンが
ボストンを追放された時、彼女と家族が落ち着いた先は、イース
ト・チェスターであった（彼女とその子供15人は、1人を除いて
1643年、当地で先住民に殺害された）。
　20年後、ニューロシェルから10家族が移住（1664）、次いで26
家族がやって来て、開拓が再び始まった。
　当地がアメリカ史で長く記憶に残るのは、アン・ハッチンソンの
おかげだけではない。1733年、ゼンガー（John Peter Zenger,
1697-1746）というニューヨーク・ジャーナル紙の記者が、名誉
毀損のかどで、ここイースト・チェスターで裁判にかけられた。
　ゼンガーは、ニューヨーク植民地総督（Royal Governor
William Cosby / 1690-1736 / 1732-1736）を批判する記事を新
聞に載せた。そのため、彼は独房に1年近く放り込まれた（反政府

的な騒乱罪）。

　彼の弁護士ハミルトン（Alexander Hamilton, 1755?–1804）は、印刷された記事は、事実を伝えたのだから、犯罪にあたらないと主張、無罪を勝ち取った（言論の出版と自由 freedom of the press）。このため、当地は権利章典（the Bill of Rights）誕生の地と呼ばれる。ハミルトンは、後にワシントン大統領の下で財務長官を務めた。1804年、アーロン・バー（Aaron Burr）副大統領との決闘で、致命傷を負い、翌日亡くなった。

★その夜は、フレンチタウンにまで足を伸ばし、そこに宿泊したかったのですが、運悪くあと４マイルくらいの所で、風雪の大嵐につかまり、それが暗くなる頃には、まともに顔に吹きつけ、私たちはとても不安でした。しかし、このあたりの小屋に住む野菜栽培者に出会い、彼は、私たちに火のそばに座るように言ってくれました。ベッドは、貧弱なものが１つ、しかも彼の奥さんの体調が悪いとかで、そうでなければ、彼の考えでは、もっとましな設備のある家まで同行できるのだが―そこへ私たちは行きました。しかし、恐ろしく不機嫌な雌の生物―女性という名称にふさわしくありません―は、一歩として中へ入れようとしてくれません。天候が暴風雨だと言うのに、犬を私たちにけしかけそうなのです。でも、この女の息子が、名前はギャロップというのですが、近くに住んでいて、彼の家に来るように言ってくれました。そして、私に２つの階段を示しました。１つはロフトへ、他方はベッドに上がるものです。このベッドは高いだけでなく、とても硬いものでした。彼は、足元を温石で暖めてくれました。横になったのですが、心地よいどころでありません。寒くて吐きそうなので、人を呼んで、何か暖かくなるものを頂戴と

頼まざるを得ませんでした。家にはミルクしかなく、それを暖め、いっそう良いものにしようと、糖蜜で甘くしてくれました。私はそれを知るよしもなく、また十分に考える時間もなく、糖蜜入りミルクを飲み干しましたが、それがまた上に昇ってきました。いやというほど十分に。それで、主人にはすぐに現金で2倍の支払いをしました。でも、このおかげで、私の胃袋はすっかり清潔になりました。このムカつき、気の滅入るイースト・チェスター（とても貧弱な町）での一夜が明けると、いい天候なので、

====== = Friday the 22d Dec.

we set out for New Rochell, where being come we had good Entertainment and Recruited ourselves very well. This is a very pretty place well compact, and good handsome houses, Clean, good and passable Rodes, and situated on a Navigable River, abundance of land well fined and Cleerd all along as wee passed, which caused in me a Love to the place, wch I could have been content to live in it. Here wee Ridd over a Bridge made on one entire stone of such a Breadth that a cart might pass with safety, and to spare – it lay over a passage cutt through a Rock to convey water to mill not farr off. Here are three fine Taverns within call of each other, very good provision for Travailers.

Thence we travailed through the Merrimak, a neet, though little place, wth a navigable River before it, one of the pleasantest I ever see – Here were good Buildings, Especially one, a very fine seat, wch they told me was Col. Hethcoats, who I had heard was a very fine Gentleman. From hence we come to HorsNeck, where wee Baited, and they told me that one Church of England parson officiated in all these three towns once every Sunday in turns throughout the Year; and that they all could but poorly maintaine him which they grudg'd to do, being a poor and quarrelsome crew as I understand by our Host; their Quarelling about their choice of Minister, they chose to have none – But caused the Government to send this Gentleman to them. Here wee took leave of York Government, and Descending the Mountainous passage that almost broke my heart in ascending before, we come to Stamford, a well compact Town, but miserable meeting house, wch we passed, and thro' many and great difficulties, as Bridges which were exceeding high and very tottering and of vast Length, steep and Rocky Hills and precipices, (Buggbears to a fearful female travailer.) About nine at night we come to Norrwalk, having crept over a timber of a Broken Bridge about thirty foot long, and perhaps fifty to ye water. I was exceeding tired and cold when we come to our Inn, and could get nothing there but poor entertainment, and the Impertinant Babel of one of the worst of men, among many others of which our Host made one, who, had he bin one degree Impudenter, would have outdone his Grandfather. And this I think is the most perplexed night I have yet had. From hence,

＜境界線や範囲がはっきりしていて land well fined＞　fined は
defined だろう。Define: 境界・範囲をハッキリさせる。Well-
defined property right.

＜メリナック Merrinak＞　ナイト夫人の帰路ルートから考えると、
メリナックはニューヨーク州のママロネック（Mamaroneck）と
思われる。ニューロシェルからロングアイランド海峡沿いに、北東
約7キロの地。フランス人開拓者の影響が今も見られる。1例が、
当地の the French-American School of New York（also known
as the Lycée Franco-Américain de New York, or FASNY）であ
る。当地からスタンフォードまでは約23キロ。途中にホースネッ
ク（現在のウエスト・グレニッチ）がある。
　東海岸には、先住民居住者が極端に少ないことは、各地の国勢調
査によく現れている。ママロネックの人口19,131人のうち、白人
は79.7%、黒人5.1%、先住民は0.0%（7 / 2019）。

＜カーネル・ヒースコート Col. Hethcoats＞　Col. = Colonel. 後
のニューヨーク市長（1711–1713）。Colonel Sanders,
Greenwich Village, Beverly Hills などの単語は発音注意。

＜ホースネック HorsNeck＞　グレニッチ（Greenwich / 発音注
意）を指す。1640年に開拓が始まったが、岩だらけの土地で農業
もたいしてうまくいかず、小舟でニューヨークと交易、そこのオラ
ンダ人たちは、イギリス人のそれ以上の南下を快く思わず、当地を
格好の緩衝地と考えた。
　ウェストグレニッチの人口構成（2000年国勢調査）：白人：

97.70％、アフリカン・アメリカン：0.28％、ネイティブ・アメリカン：0.24％。

　イーストグレニッチの人口構成（12,948人 / 2020年国勢調査）：白人：96.64％、アフリカン・アメリカン：0.69％、ネイティブ・アメリカン：0.06％。

＜教会はみすぼらしい miserable meeting house＞　meeting house は、たいていの場合２階建てで、下が教会、上が集会所の役割をはたしていた。当地の教会は２年後に建て替えられた。

＜スタンフォード Stamford＞　ジョン・アンダーヒルはボストンを追放された後、南下し、オランダ領ニューヨークやその北の開拓地で「活躍」した。その舞台の１つがスタンフォードで、彼はそこで1644年２月のある日、たった１日で700人もの先住民を殺害した。"John Underhill – Religious Maniac and Mass Murderer" (an article by Leighton "Blue Sky" Delgado) http://www.montaukwarrior.info/?page_id=277

　人口構成（2010年国勢調査）：白人：50,231人（65.2％）、アフリカ系：14,847人（19.3％）、ネイティブ・アメリカン：398人（0.5％）。

＜ノーウォーク Norrwalk＞　正しくは Norwalk と綴る。ナイト夫人は、橋の高さを15 〜 20フィート誇張しているという指摘もある。Sargent Bush, Jr. ed., *The Journal of Madam Knight*, (the University of Wisconsin Press, 1990)。

　さらに、「壊れた橋に残された長さ30フィートほどの木（高さは

50フィート、多分）を腹ばいで進みました」。その時、彼女の馬は
どうしていたのだろうか。そして荷物も。

★12月22日　金曜日。私たちは、ニューロシェルに向かいました。
到着後、そこで優れたもてなしを受け、十分に回復しました。当地
はきれいなところで、こぢんまりとしていて、家屋は素晴らしく立
派で、道路もきれいで、まずまず。航行できる川に接していて、広
い土地は、境界線や範囲がはっきりしていて、開墾もされています。
この場所に愛着がわきました。私は、ここに住んでも、満足するだ
ろうと思いました。ここで、私たちは橋を渡りましたが、それは全
体が1つの石でできていて、幅も十分あるので荷馬車も余裕をもっ
て安全に渡ることができます。この橋は、近くの水車小屋に水を流
すため、岩に掘られた水路の上にかけられています。ここには、お
互い呼べば聞こえるほど近いところに、3軒の立派な宿屋があり、
旅人向けの食事もいいものです。

　ここから私たちは、整然とした小さな村メリナックを通りました。
そばに航行できる川が流れています。もっとも気持ちのいいところ
の1つです―ここにはとてもいいお屋敷があって、話によれば、
カーネル・ヒースコートの地所だそうです。この人は、とても立派
な紳士だと聞きました。次に、私たちはホースネックに着き、そこ
で食事をしました。話では、国教会の牧師が1人いて、1年中、こ
のあたりの3つの町を日曜日に順番に回り、司式を執り行っている
そうです。さらに、住民は貧乏で、異議を唱えるのが早く、牧師を
養うのは大変で、みんな不承不承しているにすぎないと宿屋の主人
が言ってました。牧師選択をめぐる喧嘩、住民は牧師不要を選択し
たのですが―政府が、この牧師を彼らに押しつけたのです。ここで

私たちは、［ニュー］ヨーク管轄区域を離れて、以前に上った時、私の心臓が破裂しそうになった山岳地帯の道を下り、スタンフォードに着きました。こぎれいな、小さい町ですが、教会はみすぼらしいものです。ここを通り過ぎ、高いところにあってよく揺れる長い橋、険しくて岩だらけの丘陵、断崖絶壁、（これらは、すべて恐怖におののく女性の旅人には、悩みの種です）など多くの大困難の末、夜の9時頃、ノーウォークに着きました。壊れた橋に残された、長さ30フィートほどの木（高さは50フィート、多分）を腹ばいで進みました。宿屋に着いたときには、私はとても疲れていて、寒気がしていました。まともな食事はなく、生意気にもペチャクチャ喋る最悪の男、その手の男はいくらもいるのですが、彼の爺さんは、この男に輪を掛けたように、ブツブツとよく話す人間でした。この夜ほど途方に暮れたことはありません。ここから

====== = Saturday, Dec. 23, a very cold and windy day, after an Intolerable night's Lodging, wee hasted forward only observing in our way the Town to be situated on a Navigable river wth indifferent Buildings and people more refined than in some of the country towns wee had passed, tho' vicious enough, the Church and Tavern being next neighbours. Having Ridd thro a difficult River we come to Fairfield where wee Baited and were much refreshed as well with the Good things wch gratified our appetites as the time took to rest our wearied Limbs, wch Latter I employed in enquiring concerning the Town and manners of the people, &c. This is a considerable town, and filled as they say with wealthy people –

have a spacious meeting house and good Buildings. But the Inhabitants are Litigious, nor do they well agree with their minister, who (they say) is a very worthy Gentleman.

＜接岸している町 in our way the Town to be situated＞　in our way は今なら on our way。the Town to be situated も "to be" は不要。

＜フェアフィールド Fairfield＞　ここまで来ると、ニューヘーヴンまで約40キロ。当地も、海岸沿いの他の地と同じく、先住民から土地を「購入」して開拓が始まった。購入という概念が、先住民になかったことはよく指摘されている。この町の現在の人口構成は？

★12月23日　土曜日。とても寒く風の強い日、しゃくに障る宿屋でひと晩過ごし、私たちは急いで前進。道中、目にしたのは、航行可能な川に接岸している町で、建物はパッとしませんが、住民は、これまで通過してきた町の人々よりあか抜けしています。悪いことに、教会と居酒屋が、隣り合わせにあります。面倒な川を馬で渡り、フェアフィールドに着きました。そこで食事、食欲を満たす美味しいものにありつき、元気を回復しました。また、疲れた四肢を休めました。その後、私はその四肢を使って、町と住民の現状などを聞いて回りました。ここは大した町で、彼らが言うところでは、裕福な人が多いようです―広々とした教会兼集会所や立派な建物があります。住民は論争好きで、また牧師とはうまく意見が一致しないのですが、（彼らの言うところでは）牧師自体はとても立派な人物だ

そうです。

＜とても寒く風の強い日 a very cold and windy day＞　ナイト夫人が珍しく厳冬に言及している。

　話は少々脱線するが、清少納言は、冬のある日を次のように描いた。「冬の夜いみじう寒きに、おもふ人とうづもれ伏して聞くに、鐘の音の、ただ物の底なるやうに聞ゆる、いとをかし」。西暦1000年頃の話である。

　「いみじう寒」い京都の冬は、どのようなものであったのか。「冬はつとめて、雪のふりたるはいうべきにあらず、霜のいとしろきも、またさらでも、いと寒きに、火などいそぎおこして、炭もてわたるもいとつきづきし、昼になりて、ぬるくゆるびもていけば、火桶の火もしろき灰がちになりて、わろし」。「とても寒く風の強い」という表現に比べると、御所で働く女官の恵まれた生活がうかがえる。ま、いずれにしろ、清少納言の周りには、人の温もりがあったのである。

====== = They have aboundance of sheep, whose very Dung brings them great gain, with part of which they pay their Parsons sallery.　And they Grudge that, prefering their Dung before their minister.　They Lett out their sheep at so much as they agree upon for a night; the highest Bidder always caries them, And they will sufficiently Dung a Large quantity of land before morning.　But were once Bitt by a sharper who had them a night and sheared them all before morning – From hence we went to Stratford, the next Town, in which I

observed but few houses, and those not very good ones. But
the people that I conversed with were civil and good natured.
Here we staid till late at night, being to cross a Dangerous
River ferry, the River at that time full of Ice; but after about
four hours waiting with great difficulty wee got over. My fears
and fatigues prevented my here taking any particular
observation.

＜ストラットフォード Stratford＞　シェークスピアの生誕地、ス
トラットフォード＝アポン＝エイヴォン（Stratford-upon-Avon）
にちなんで命名されたと言われている。人口構成：白人73.1％。
黒人16.6％。先住民0.1％。07/01/2019　実数ではどうなるか。

＜数軒の家しかなく few houses＞　“few houses”だから“a few
houses”よりも少ないのだろうか。

★たくさんの羊がいて、その糞が、町に大きな利益をもたらしてい
ます。その幾分かで、牧師の給料を払っています。それが彼らの妬
みの素で、羊の糞の方が牧師の給料よりも大事という訳です。1晩
あたりいくらかで同意した金額で、羊を賃貸するのですが、最高入
札者がいつも権利を手に入れます。その人たちのために、朝になる
前に広大な土地が糞で一杯になります。でも、あるとき、頭の切れ
る人物がいて、その男は朝になる前に羊たちの毛を全部刈り取って
しまったのです―私たちは、ここからストラットフォードへ行きま
した。隣町です。ここでは数軒の家しかなく、それもいいとは言え
ないものです。でも、私が話した人々は礼儀正しく、善良で、気立

てのいい人たちでした。私たちは、ここに夜遅くまで滞在しました。川はそのとき、氷がいっぱいで、渡し船で渡るのは危険でした。4時間ほど待ち、困難な末に渡りました。恐怖と疲労に妨げられたので、ここでは特段の観察報告はありません。

====== = Being got to Milford, it being late in the night, I could go no further; my fellow travailer going forward, I was invited to Lodge at Mrs. —— ——, a very kind and civill Gentlewoman, by whom I was handsomely and kindly entertained till the next night. The people here go very plain in their apparel (more plain than I had observed in the towns I had passed) and seem to be very grave and serious. They told me there was a singing Quaker lived there, or at least had a strong inclination to be so, His spouse not at all affected that way. Some of the singing Crew come there one day to visit him, who being then abroad, they sat down (to the woman's no small vexation) Humming and singing and groneing after their conjuring way – Says the woman are you singing quakers? Yea says They – Then take my squalling Brat of a child here and sing to it says she for I have almost split my throat wth singing to him and cant get the Rogue to sleep. They took this as a great Indignity, and mediately departed. Shaking the dust from their Heels left the good woman and her Child among the number of the wicked.

＜ミルフォード Milford＞　人口構成：白人73.1％、黒人3.3％、

先住民0.1％。04/01/2020.

＜気前よく、また親切にもてなされました entertained＞　辞書に
は entertain は、「間に（enter）保つ（tain）→間を持たせる→歓
待する→人を楽しませる」が原義とある（ジーニアス英和辞典）。

＜歌うクエーカー singing Quaker＞　初期のクエーカー教徒は、
世俗的な音楽を否定していた。クエーカー教会の創始者ジョージ・
フォックス（1624–1691）は最初、音楽を単なる気晴らしで、つ
まらないものととらえていた。「色んな音楽、それに舞台で奇術を
見せる道化師といった類いのものは、私は涙が出るほど嫌いだ。信
者の清らかな生活には重荷になるし、また、気持ちを虚栄心の方に
動かすものだからだ」と述べている（1649）。
　フォックスたちは、組織化された既成の宗教からの離脱を求めて
いたのであった。彼らのあいだでは、church という単語よりも、
「尖り屋根の建物 steeple-house」が好まれた）。
　ボストンの町でクエーカー教徒に対する迫害が強くなり、投獄と
拷問が増えた。牢獄で食事や水があたえられなかったこともあった。
牢獄の内外にいる教徒のあいだで、連帯や帰属意識を示す必要が高
まった。捕まった者は牢屋で詠唱した。外にいる信者はそれに合わ
せた（次のサイトに見るように、それは尖り屋根の建物の礼拝会で、
信者が立ち上がり、話し出す調子と似ていた）。http://library.
haverford.edu/exhibits/quakermusic/audio/intoningclean.mp3
　フォックス自身、スコットランドのカーライルで捕まった時、牢
屋で歌うようになった。そういった時、看守はフィドルを持ち出し、
彼の歌声を消そうとしたが、無駄であった。

開祖フォックスより数年早く生まれたソロモン・エクルズ (Solomon Eccles / 1618–1683) は作曲家で、クエーカー教徒であった（父は音楽の教授）。教授の息子は、ソロモン・イーグルというニックネームでよく知られていた。腰部分だけを辛うじてぼろ布でおおった彼の姿が、ロンドンの町で目撃されるようになったのは、ロンドンの大悪疫＝ペスト（1665–66）の時であった。

　彼の姿を、同時代人ダニエル・デフォーは『ペスト』で、次のように記録した。「この貧相な裸の輩は、＜おお、神よ、大いなる、恐るべき神よ！＞と叫ぶのみで、他には何も発せず、この言葉のみを繰り返すのであった」。デフォー自身も、「この裸の男に街頭で何度もお目にかかった」ことがあった。その時のエクルズの異様な姿は、十字架の形をした長い杖を右手に持ち、左手は天を指し示している。頭の上には真っ赤に燃える石炭が入った鉢がのっていた。

　次のサイトを参照：https://artuk.org/discover/artworks/solomon-eagle-1409/view_as/grid/search/keyword:solomon-eagle/page/1 （異なるバージョンも多い）。

　この異様な行動で彼が示したかったのは、「私の指先ではなく、それが指し示している先にあるものを見よ」というメッセージであった。

　この男を、サミュエル・ピープス (Samuel Pepys / 1633–1703) も記録している。彼の日記（1667年7月29日）：「1人の男、クエーカー教徒が国王の宮殿の一部であるウエストミンスター・ホールを通ってやって来た。醜聞をさけるため、礼儀正しく陰部だけは覆っているが、ほとんど丸裸で、頭には火のついた硫黄の皿がのっていた。そして、＜悔い改めろ、悔い改めろ！＞と叫ぶのであった」。

その次の日、エクルズの妻が亡くなった。ペストが原因だと言われている（ペストの大流行＝ロンドンの大悪疫 great plague of London / 1665-66では、46万人の人口中、死者は7万人を超えた。Defoe の『ペスト』参照）。

1660年、クエーカー教徒に改宗したこの男エクルズは、音楽を虚栄だと考え、楽器や自身が作曲した楽譜を売り払った（幸運なことに、かなりの高額で）。生活のため、彼が選んだ次の仕事は、靴屋であった。62年、エクルズはある教会の説教壇に座りこみ、そこで靴を作り始めた。そこが特別に神聖な場所ではないという主張を示すためであった。翌日、教会に再び姿を現すと、会衆の席から席へと飛び移り、説教壇に腰を下ろし、作業を始めた。彼は逮捕され、投獄された（それ以前にも彼は「市民的不服従 civil disobedience」のため、何回も裁判にかけられていた）。

ソロモン・イーグルは、スコットランドでは真裸になり、カトリック教会の中で、礼拝者を非難し、そのため鞭打ちにされ、追放された。彼の異様な姿、特に頭上の火と煙は、1666年9月のロンドンの大火の予言ととらえる人もいた（ただし、その時、彼は監獄に放り込まれていたという指摘もある）。

王政復古の時代（1660-85）、3人以上の人間が礼拝のため1室に集まると、動乱扇動とみなされていた。65年5月、彼は再び逮捕され、数カ月間、ブタ箱にぶちこまれた。音楽は罪深い虚栄であると信じるようになった彼は、以前、音楽と距離をおくため売却した楽譜や楽器を買い戻し、焼却した。彼の考えでは、それらをおいておけば、後に誰かが購入し、その人が罪に陥るのを防ぐのが目的であった。

1671年、彼は12人（うち2名は女性）の仲間と共に、フォック

スに従い、西インド諸島（バルバドス）に向かった。そこで布教活動に従事し、成功を収めた。翌年、彼はボストンで逮捕され、バルバドスへ追い帰された。

　1680年、イーグルはロンドンに戻り、2年後にそこで亡くなった。シューアルは、「イーグルは熱狂的な男だが、邪悪と判断したものに対しては自身の生命を賭け、しかし、暖かい心で反対した」と記している。

　彼の子供たちは音楽家になったが、クエーカー教徒にはならなかった。

　一方、神政政治が敷かれ、ピューリタンが支配するボストンの植民地。そこでも、宗教的自由を求めるクエーカー教徒は、拷問や死刑台などに直面し、苦戦を強いられていた。

　マサチューセッツでは、ピューリタンの教会での礼拝を欠席した者は総会に呼び出され、審問を受け、その結果次第では罰金、鞭打ち、追放、死刑が待っていた。

　1659年、マサチューセッツから追放されていたウィリアム・ロビンソン、マーマデューク・スティーブンソン、メアリー・ダイアは、再び同地に足を踏み入れた。死刑宣告が待っていた。

　「2人の若い男に挟まれて、その手を握って歩いて行くというのは、いかがなものかな」と刑執行官が訊ねた。メアリー・ダイアは応えた。

"It is an hour of greatest joy I can enjoy in this world. No eye can see, no ear can hear, no tongue can speak, no heart can understand, the sweet incomes and refreshings of the spirit of the Lord which now I enjoy."

ボストン・コモンにあるニレの大木に掛けられたロープ（絞首索）が、死刑台であった。まず男2人が絞首刑になった。

　次いで、メアリーがロープの高さまで梯子を上った。両手両足が縛られ、顔は布で覆われた。首にかけられたロープが彼女に合わせて調節された時、死刑執行猶予の命令が届いた。

"Just then an order for a reprieve, upon the petition of her son all unknown to her, arrives. The halter is loosed from her neck and she is unbound and told to come down the ladder. She neither answered nor moved. In the words of the Quaker chronicler, she was waiting on the Lord to know to know his pleasure in so sudden a change, having given herself up to dye. The people cried, pull her down. So earnest were they that she tried to prevail upon them to wait a little whilst she might consider and know of the Lord what to do. The people were pulling her and the ladder down together, when they were stopped, and the marshal took her down in his arms, and she was carried back to prison.

It was a mere prearranged scheme, for before she set forth from the prison it had been determined that she was not to be executed, as shown by the reprieve itself, which reads as follows:

'Whereas Mary Dyer is condemned by the General Court to be executed for hir offences, on the petition of William Dyer, hir sonne, it is ordered that the said Mary Dyer shall have liberty for forty-eight howers after this day to depart out of this jurisdiction, after which time, being found therein, she is forthwith to be executed, and in the meane time that she be kept a close prisoner till hir sonne or some other be ready to carry hir away within the aforesaid tyme; and it is further ordered, that she shall be carryed to the place of execution, and there to stand upon the gallows, with a rope about her necke, till the rest be executed, and then returne to the prison and remaine as aforesaid."

https://www.awesomestories.com/media/user/54a8d498a4.pdf

　翌年の５月21日、彼女は再びボストンに戻った。10日後、メアリー・ダイアはエンディコット総督の前に立った。

　エンディコット：おまえは以前ここに立ったメアリー・ダイアと同じ人物か。
　ダイア：私は前の総会（植民地会議）にいた同じメアリー・ダイアである。
　エンディコット：おまえはクエーカー教徒であることを認めるか。
　ダイア：私は懲りないクエーカーと呼ばれていることを認める。
　エンディコット：前の総会でおまえに判決が下された。そして今また、おまえは監獄に戻らなければならない。そこに明日の９時までいなければならない。その時になれば、絞首門に行かなければならない。そこで、おまえは死ぬまで首を吊すのだ。
　ダイア：それは汝〈thou〉が以前に言ったのと同じことだ。

エンディコット：そうだが、今回は執行される。だから、明日9時には覚悟を決めておくことだ。

ダイア：汝が追放か死刑という邪悪な法律を撤回することを望んで、神の意志に従って私は前の総会に来たのであった。今また同じことが私の義務であり、また心からの希望でもある。

この後、彼女は「今、汝が悪法を撤回せずとも、神は私に続く者を送ってくるだろう」と言った。次いで、総督は「おまえは予言者か」と尋ねた。私は、神が話された言葉を話しているのにすぎないと彼女は応えた。さらに話そうとすると、総督は、「連れて行け、この女を連れて行け！」と叫んだ。

翌朝、死刑が執行された（1660年6月1日）。

1662年、デボラ・ウィルソンも、ボストンの北東40キロほどのセーレムの教会堂に、裸で入って行った。彼女は、腰まで裸の姿で、荷馬車の後ろにくくりつけられ、鞭打たれながら、自分の家まで歩かされた。

1年前の3月14日、ウィリアム・レドラはボストン・コモン、そう、前述のブラックストーンが売り払った広場に、引っ張り出された。冬の間、彼の脚は丸太にくくりつけられ、裁判所に出頭した時は、足かせがついていた。武装した警備兵が彼を取り囲み、彼が群衆に話しかけるのを妨害した。

「欺す奴と欺されている人間のために私はここに来た。そのために、私は死刑になる」。考えを改めないのか。「なに！　命乞いをして、神を見捨てた野郎だと後に言われるために私は絞首台に来たのではない」。自分自身を法と考えていたウィルソン牧師は、「犯罪者

の多くは妄想のために死んでいく」と弁解らしきものを口にし、警備兵に合図を送った。

　レドラの遺体を埋葬するためエドワード・ウォートンはその場にいた。彼自身、レドラの死刑判決が下されたとき、追放の命令を受けていた。「10日以内にボストンを出よ、戻ってくれば死刑だ」。

　彼の犯罪：ロビンソンなどクエーカー教徒が殺されたことへの抗議。20回の鞭打ち後、彼は釈放された。ウォートンはクエーカーであることを理由に再逮捕された。レドラの遺体埋葬後、彼はボストンに戻り、私はここにいる、これからもここにいると当局者に書き送った。

　同年、リディア・ウォードウエルと夫のエリアキムも、清教徒たちとその教会の被害者になった。彼は、以前ボストン追放の憂き目に遭ったウェンロック・クリスティソンを自宅にかくまったことがあった。クリスティソンは、メアリー・ダイアやウィリアム・レドラと一緒に、ボストンで投獄されたことがあるクエーカー教徒であった。

　つまり、この夫婦、リディアとエリアキムは、ピューリタン教会が支配する社会では、異端児であったわけである（しかし、近隣の評判によると、リディアは慎み深く、非常にしとやかでやさしい女性であった）。

　1662年４月、エリアキムは礼拝を欠席し、罰金刑を受けた。また、リディアはボストンに近いニューベリーでの召喚に応え、裸で姿を現した。それは、これまでにも女性信者を裸にして、鞭打ち刑を与えていた教会に対する抗議の姿であった。さらに、教会の指導者である牧師たちが、利益のあがる地位につき、また彼らが精神的に、「空疎で裸である」ことに対する抗議でもあった。

リディアは、1663年5月5日、ニューベリーにある（クエーカー教徒の）教会堂に裸で入った。そのため、ピューリタンの支配者は鞭打ち刑と罰金の判決をくだした。彼女は、ジョセフ・ベーカー・ハウス（タバーン）に連れて行かれた。

　上半身裸のリディアは荒削りの柱にくくりつけられた。タバーンの客は、彼女の乳房に柱のとげが刺さるのを見た。彼らは、「危険な反逆者」の背中に鞭が振り下ろされるのを目の当たりにして喜んだ。鞭打ちが続き、リディアはもがき、背中に血が流れた。まさに、「パンと見世物 bread and circus」という、ピューリタンとその教会が政治的権力を維持するための姑息な手段であった。

　しかし、他方では、密かに、「鞭を打った者の体が朽ち果て、彼の記録がこの世から抹殺されるように」と願う者もいた。

　リディアたち夫婦は1666年、マサチューセッツを離れ、ニュージャージーに移住、そこで農業に従事、同地で最初のクエーカーの牧師になった。

　1664年6月、クリスティソンは、バージニアでの迫害を逃れてきたクエーカー教徒、メアリー・トンプソンとアリス・ゲーリーに出会った。やがて、これらの3人も追放の命令を受けた。彼らは上半身の衣服を剥ぎ取られ、両手を荷馬車後部にくくりつけられ、北のボストンから南のロックスベリー、デダムまで連れ回され、それぞれの町で、クリスティソンは鞭打ち10回、女性は6回を受けた。

　このとき、シーボーン・コットン牧師は職杖を手に、「秩序を愛する市民とともに、羊たちをオオカミから守るため」、彼らの逮捕に向かった。

　その後、クリスティソンは、メリーランド植民地に移住、その地で下院議員に選ばれた。彼の姿は、後にロングフェロー（Henry

Wadsworth Longfellow）が、詩集『ニューイングランドの悲劇』のなかの「ジョン・エンディコット」で取り上げ、称えた。

　後の歴史家が記したように、真実は、たとえ裸であっても、立派な服をまとった虚偽に勝るのであった。

＜悪霊のちりを払い落して行った Shaking the dust from their Heels＞　マルコによる福音書６章　「11　また、あなたがたを受け入れず、あなたがたに耳を傾けようともしない所があれば、そこを出て行くとき、彼らへの抗議のしるしに足の塵を払い落としなさい」とある。英文では、"Mark 6:11 If anyone will not welcome you or listen to you, shake the dust off your feet when you leave that place, as a testimony against them."

★ミルフォードに到着したのは夜も遅く、私はこれ以上先には進めませんでしたが、同行者は前進し、私は一夫人のところに泊まるように招かれました。とても親切で、礼儀正しい女性で、私は、次の夜までここに留まり、気前よく、また親切にもてなされました。ここの人の服装は地味で（これまで通った町で観察したものよりも地味で）、皆さん、いかにも厳めしく敬虔な様子です。ここには、歌うクエーカーが１人住んでいたそうです。あるいは、その傾向がとても強い人が。その男の妻には、その傾向はありませんでした。ある日、彼を訪ねて歌うクエーカーの一団がやって来ましたが、彼は家にいませんでした。そこで、この一団は座り込み（女性はとても困ったのですが）、ハミングしたり歌ったり、魔法を使うようなやり方でうめいたり―歌うクエーカーなの、と女性。ハイ、と彼らが答える―そうなら、そのわめき声で、うちの騒ぐ小僧を連れてって、

歌ってやればいい。私は喉が裂けるくらい、この腕白小僧に歌って
やったのに、まだ寝ないのだから。これを大きな侮辱と感じた一団
は、直ちに立ち去りました。彼らはその場に、「悪霊のちりを払い
落して行ったので」、この妻子は邪悪な者たちの仲間になったまま
です。

====== = This is a Seaport place and accomodated with a
Good Harbour, but I had not opportunity to make particular
observations because it was Sabbath day – This evening,

December 24,
I set out with the Gentlewomans son who she was very civilly
offered to go with me when she see no parswasions would
cause me to stay which she pressingly desired, and crossing a
ferry having but nine miles to New Haven in a short time
arrived there and was Kindly received and well accommodated
amongst my Friends and Relations.

　The Government of Connecticut Colony begins westwards
York at Stanford (as I am told) and so runs Eastward Boston (I
mean in my range, because I dont intend to extend my
description beyond my own travails) and ends that way at
Stonington – And has a great many Large towns lying more
northerly. It is a plentiful Country for provisions of all sorts
and its Generally Healthy. No one that can and will be diligent
in this place need fear poverty nor want of food and Rayment.

★ここは港町で、良港があります。安息日であったため、詳細な観察に行く機会はありませんでした。夕方、[この日の記入は、ここで不自然に終わっている。]

　12月24日、ご夫人の息子さんと出発しました。彼女の熱心な説得にもかかわらず私の出発する意思が堅いのを見て、息子さんの同行を礼儀正しく申し出てくださったのです。渡し船で渡ると、ニューヘーヴンまでは9マイルしかありません。すぐそこに着き、友人と親戚の者に親切に受け入れられ、また便宜を図ってもらいました。

　コネティカット植民地の支配権は、西にはスタンフォードでヨークに向い（と聞きました）、東はボストンに向かい（私に関連する領域に限っての話です。旅行の範囲を越える描写はしません）、ストーニングトンで終わります―さらに、北には大きな町がたくさんあります。当地にはあらゆる種類の食糧が十分にあり、それに健康的です。この地では、勤勉であれば、貧困、食糧や衣服の欠乏を恐れる必要はまったくありません。

====== = January 6th. Being now well Recruited and fitt for business I discoursed the persons I was concerned with, that we might finish in order to my return to Boston. They delayd as they had hitherto done hoping to tire my Patience. But I was resolute to stay and see an End of the matter let it be never so much to my disadvantage – so January 9th they come again and promise the Wesnesday following to go through with the distribution of the Estate which they delayed till Thursday

and then come with new amusements. But at length by
mediation of that holy good Gentleman, the Rev. Mr. James
Pierpont, the minister of New Haven, and with the advice and
assistance of other our Good friends we come to an
accommodation and distribution, which having finished though
not till February, the man waited on me to York taking the
charge of me I sit out for Boston. We went from New Haven
upon the ice (the ferry being not passable thereby) and the
Rev. Mr. Pierpont wth Madam Proust Cuzin Trowbridge and
divers were taking leave wee went onward without any thing
Remarkable till we come to New London and Lodged again at
Mr. Saltonstalls – and here I dismist my Guide,

＜ジェームズ・ピアポント氏 the Rev. Mr. James Pierpont＞
エール大学創設者であることは既に述べた。子孫には James Lord
Pierpont（1822–1893）がいて、南部連合国の兵であった。この
人物は、♫ジングルベル♫の作詞作曲家。

★1月6日　十分に休息し、仕事を始める用意もできたので、私は
ボストンに帰ることができるように、仕事を片付けるため関係者と
話をしました。彼らは、私の忍耐心を試そうとして、これまでどお
りぐずぐずしました。それで不利になるようなことのないように、
私は問題解決まで留まることを覚悟しました―1月9日、彼らは再
びやって来て、次の水曜日に土地の配分について話し合うと約束し
ました。彼らは、それを木曜日まで延ばした上に、気晴らし程度の
ものを新しく持ってきました。しかし、あの高徳の紳士、ニュー

ヘーヴンの牧師であるジェームズ・ピアポント氏の仲介と私たちの
信心深い友達の忠告と援助のおかげで、和解と分配に至りました。
2月までかかることになるのですが、これで一件落着となり、ヨー
クまで私の面倒を見てくれていた男性と一緒に私は出発しました。
ニューヘーヴンからは（渡し船では通れないので）氷の上を進みま
した。ピアポント牧師、プラウト・クズン・トローブリッジ夫人、
その他大勢の方々は休暇中でしたので［お別れの挨拶もできず］、
私たちは前進、道中なにも珍しいものもなく、ニューロンドンに着
き、サルトンストールズ氏のところで再び泊めてもらうことになり
ました―ここで、私のガイドに別れを告げました。

====== = And my Generos entertainer provided me Mr.
Samuel Rogers of that place to go home with me – I stayed a
day here Longer than I intended by the Commands of the
Honble Governor Winthrop to stay and take a supper with him
whose wonderful civility I may not omitt. The next morning I
crossed ye Ferry to Groton, having had the Honor of the
Company, of Madam Livingston (who is the Governors
Daughter) and Mary Christophers and divers others to the
boat – And that night Lodgd at At Stonington and had Rost
Beef and pumpkin sause for supper. The next night at Haven's
and had Rost fowle, and the next day wee come to a river
which by Reason of Ye Freshetts coming down was swell'd so
high wee feard it impassable and the rapid stream was very
terryfying – However we must over and that in a small
Cannoo. Mr. Rogers assuring me of his good Conduct, I after a

stay of near an how'r on the shore for consultation went into the Cannoo, and Mr. Rogers paddled about 100 yards up the Creek by the shore side, turned into the swift stream and dexterously steering her in a moment wee come to the other side as swiftly passing as an arrow shott out of the Bow by a strong arm. I staid on ye shore till Hee returned to fetch our horses, which he caused to swim over himself bringing the furniture himself in the Cannoo. But it is past my skill to express Exceeding fright all their transactions formed in me.

＜リビングストン夫人 Madam Livingston＞　彼女の夫はジョン・リビングストン。メアリーはコネティカット植民地総督フィッツ＝ジョン・ウィンスロップの娘（総督と内縁関係にあったエリザベス・タングが母親）であった。メアリーは1713年に亡くなり、同年10月1日、ジョンはナイト夫人の娘、エリザベスと再婚した。

　リビングストン家の周りには植民地有力者が多かったが、ジョンの関心はインディアンやカナダとの関係、つまり外の世界に向いていた。［シューアルの1711年12月10日の記録：「ジョン・リビングストン少佐の報告を読んだ。カナダにいるフランス人4,070人、インディアン830人。大砲145、投石器22」。彼はフランス人の動向を偵察するため陸路ケベックに送り込まれていた。同行したのは2、3人のインディアン。この時代、アメリカ植民地は北方のフランスの動きに悩まされていた。

　ジョンの2姉妹は、彼とエリザベスの結婚に反対であった。ジョアナはエリザベスの性格は非常に汚れたもので、ジョンの結婚のおかげで自分たちの家系の名声が下がったと嘆いた。既に結婚してい

たマーガレットは、ジョンが前妻生存中にボストンでエリザベスと「背徳の関係」にあったと非難した。ジョンは、「そう思うならボストンのマザー親子に聞き合わせればいい」と反論した。2人の結婚式はインクリース・マザー（Increase Mather / 1639–1723）が執り行った。

★親切なご主人は、当地のサミュエル・ロジャーズ氏をボストンまでの私の同行者に選んでくださいました一当地には最初の予定より1日長く滞在しました。ウィンスロップ総督のご命令で夕食を一緒にとることになったのです。この方の素晴らしい礼儀正しさを省略するわけにはいきません。翌朝、渡船でグロトンに行きました。光栄なことに、渡船場までリビングストン夫人（総督のお嬢さん）、メアリー・クリストファーズ、その他多くの皆さんに見送ってもらいました一その夜はストーニングトンに泊まり、夕食にローストビーフとパンプキン・ソースをいただきました。次の日の夜はヘーヴンで鶏肉のロースト。その次の日、川に来ましたが、流れ込む雪解け水で水かさが増していたので、渡河は無理だと考えました。急流はとても怖いものでした一しかし、私たちは進まなければなりません。しかも、小さなカヌーで。ロジャーズさんは、これまでにも同じような経験をしたことがあるから大丈夫だと安心させてくれました。私は、岸で1時間ちかく相談した上、カヌーに乗り込みました。ロジャーズさんは、川岸に沿って100ヤードほど上流へパドルを漕ぎ、急流に入ると巧みに操縦し、強者の弓から放たれた矢のように早く、私たちは対岸に着きました。彼は私たちの馬を取りに戻り、私は岸で待ちました。馬を泳がせ、私の荷物はカヌーに収めて、彼は戻ってきました。彼らのやり取りが、私の中に引き起こした、

とてつもない恐怖心を描写するのは私の技術では無理なことです。

====== = Wee were now in the colony of the Massachusetts and taking Lodging at the first Inn we come to had a pretty difficult passage the next day which was the second of March by reason of the sloughy ways then thawed by the Sunn. Here I mett Capt. John Richards of Boston who was going home, So being very glad of his Company we Rode something harder than hitherto, and missing my way in going up a very steep Hill, my horse dropt down under me as Dead; this new surprise no little hurt me meeting it Just at the Entrance into Dedham from whence we intended to reach home that night. But was now obliged to get another Hors there and leave my own, resolving for Boston that night if possible. But in going over the Causeway at Dedham the Bridge being overflowed by the high waters coming down I very narrowly escaped falling over into the river Hors and all wch twas almost a miracle I did not – now it grew late in the afternoon and the people having very much discouraged us about the sloughy way wch they said wee should find very difficult and hazardous it so wrought on mee being tired and dispirited and disapointed of my Desires of going home that I agreed to Lodg there that night

＜マサチューセッツ植民地 the colony of the Massachusetts＞
ナイト夫人は長旅の末、ボストンに帰ってきた。その頃のボストン

の様子をもう一度見ておく。

　ボストンであった考古学調査で、ボウリング用のボウル1個が発掘された。1990年代初めの話である。往時のものは、ボウルの天地が削られていて、中心に鉛が埋め込まれていた。それを芝生の上を転がし、ジャックと呼ばれる標的に当てる、あるいはできるだけその側まで持って行く、カーリングにも似たゲームであった。1チーム2人、4人で行うこのスポーツは植民地や開拓地で人気があった。ボウリング・グリーン（ボウリングをする芝生）という地名は全米各地に残っている（ケンタッキー、オハイオ、バージニア、ミズリー、フロリダ、メリーランドなど）。

　さて、このボウル。これが発掘されたのはボストンで17世紀に使われていた屋外便所（それは shit house / house of office などと呼ばれていた）。正確には、1630年代のピューリタンの大移住から50年経ったころに使われていた屋外便所の発掘であった。

　その頃（1680）、ボストンは原初的な開拓地からその奥地（農業）と沿岸港町（漁業と林業）を結ぶ商業都市になりつつあった。さらに、考古学者たちの発見が示すように、ヨーロッパ各地ともつながりを見せるようになっていた。発掘された物のなかにはベネチアガラスやイベリアで作られた壺、ドイツ、オランダ、イタリアの食器類の破片が含まれていたのである。カリブ海の貝殻なども散見された。

　1652年に発布されたボストンの規則では、トイレは隣家や通りから12フィート以上離れ、深さは少なくとも6フィート以上、さらに屋根で覆われていることが必要であった。そこで発掘されたボウルが象徴するボウリングというゲーム自体も、規制されていた。ボウリングは、お上から見れば、時間の浪費であったし、グリーン

ボウリングのできるタバーン（居酒屋）でのワインやビールの過剰な消費にしばしばつながった。ボウリングは都市生活に見られる酩酊、怠惰、博打の根源であると政府は判断した。その判断が、それほど間違っていなかったことは、ボウルが発掘された家と家族の実態を見れば分かるかもしれない。

　この商業都市で生活していた中間層、あるいは下層階級の例（1671）：数人の若者が窃盗罪（倉庫や小型船に忍び込んだ）、メアリー・ムーアと他数名は姦淫、さらに継続的売春の嫌疑のある者もいた。アリス・トーマスには売春宿経営の強い容疑があった。しかし、売春はイギリス本国でもボストンの植民地でも、犯罪ではなかった（密通は犯罪で、売春がこの範疇に入れられて罰せられることはあった）。

　マサチューセッツでは夜間に職業的に動き回るナイトウォーキング（nightwalking）は、1699年に法律の対象になった（つまり、売春婦の存在が、公式に認められたことになる）。ナイト夫人の旅は1704年であるから、僅かその数年前のことであった（売春婦が売春のために罰せられるようになったのは1917年）。

　これらの記録を残したジョン・ハルは1635年にボストンに着いた（12歳）。1647年、「ジョン・ウィンスロップ氏が私と妻のジュディスの結婚式を私の自宅で執り行ってくださった」。彼は成功した者であった。ハルは、これらの不品行や悪事が植民地全体に広がるのを恐れていた。1652年、マサチューセッツ湾植民地は彼を造幣長官に任命した。

　さて、発掘調査に戻る。このトイレがあったのはロバート・ナニーの敷地内であった。この男は金細工師兼バルバドス島植民者で、北のメインで毛皮交易にも手を出していたらしい。彼の妻キャサリ

ンは、ジョン・ホイールライト牧師の娘であった（この非国教派牧師は1630年代に、義妹アン・ハチンソンと共にボストンから追放の憂き目に遭っている）。

＜ジョン・リチャーズ大尉 John Richards＞　同姓同名の男がボストンにいた記録がある。この男はセーレムの魔女裁判（1692）で重要な役割を果たしていた。彼の妻アン・ウィンスロップ（Ann Winthrop）は、ジョン・ウィンスロップの義理の娘であった。リチャーズは、ナイト夫人の旅の10年前（1694）にボストンで突然死した。夫妻には子供はいなかった。

　この魔女裁判にはジョン・ホーソーンも裁判官を務めていた。後に『緋文字 *the Scarlet Letter*』（1850）を書いたくナサニエル・ホーソーン（Nathaniel Hawthorne）の先祖である。

＜とても坂のきつい丘を上っているとき、私の馬は突然倒れ、死んでしまいました going up a very steep Hill, my horse dropt down under me as Dead＞　これまで見たように、往復の全行程で、ナイト夫人が「私の馬」を買い換えたり、交換したという記述は一切ない。ボストンを目前に「死んでしまった」馬は、出発時の馬と同じものであると考えてもよいのではないか。

　この推察が正しいのであれば、彼女の日誌に、この馬に対するいたわりの言葉があっても不思議ではない。それが全く見られないのは何故なのか。

★私たちは今、マサチューセッツ植民地にいます。最初に来た宿屋に泊まり、翌日、つまり3月2日、その時までに太陽が溶かしぬ

かるみのために、移動はずいぶん大変でした。ここで、私はボストンのジョン・リチャーズ大尉に出会いました。彼は家に帰るところだったので、私は同行者ができ、とても嬉しく、私たちはこれまで以上に早く飛ばしました。とても坂のきつい丘を上っているとき、私の馬は突然倒れ、死んでしまいました。この新しい驚きにデダムの町の入り口で襲われたのは、大きな打撃でした。その夜のうちにそこからボストンに帰るつもりでいたからです。これまでの馬はここに置いて行き、新しい馬を手に入れなければなりません。もし可能ならばですが、その夜のうちにボストンに帰るつもりだったのです。しかし、デダムで土を盛り上げた道路を進むと、流れてくる高潮で橋が水浸しになり、私はもう少しで馬もろとも川に落ちるところでした。そうならなかったのは、まるで奇跡のようなものです―午後も遅くなり、ここの住民たちがぬかるみの泥道を行くのはとても困難で、また危険だと分かるだろうと言って反対したので、それが影響して、すでに疲れ、意気消沈していた私は、家に帰る当てが外れたこともあり、この町で泊まることにしました。

====== = wch wee did at the house of one Draper, and the next day being March 3d wee got safe home to Boston, where I found my aged and tender mother and my Dear and only Child in good health with open arms redy to receive me, and my Kind relations and friends flocking in to welcome mee and hear the story of my transactions and travails I having this day bin five months from home and now I cannot fully express my Joy and Satisfaction. But desire sincerely to adore my Great Benefactor for thus graciously carying forth and returning in safety his unworthy handmaid.

★ドレーパーという方のところに泊まり、次の日、3月3日、私は無事ボストンの自宅に戻りました。そこでは、私の年老いた、やさしい母親と、かわいい一人娘が元気で、私を両腕で迎え入れてくれました。さらに、思いやり深い親戚や友人たちが私を歓迎し、また取引と苦労の話を聞こうと集まってくれました。故郷を離れて5カ月、私の喜びと満足感を十分に表すことはできません。私が心から望むのは、神に仕える侍女である私をこのように恵み深く安全に運び、また元のところへ戻してくださったことに心からの感謝を捧げることです。

　このようにして、1704年10月2日に始まったナイト夫人の旅は、翌年の3月3日に終わった。故郷を離れること5カ月だった。その間に、彼女は様々な人に出会った。そのなかには、先住民も黒人奴隷もいた。貧しい白人もいたし、既に上流階級を形成していた人々にも出会った。

　その1人が、トローブリッジ一家のトーマス（Thomas Trowbridge）であった。ニューヘーヴン歴史協会の展示物に3つの指輪がある。これらは、トーマス・トローブリッジがナイト夫人とともにニューヨークに行った時、銀細工師コーネリアス・キエルステッド（Cornelius Kierstede / 1674–1757）に加工してもらったものである。https://www.nytimes.com/1982/04/04/nyregion/antiques-new-havens-first-jeweler.html（この銀細工師は、ニューヘーヴンが成長するにつれ、そこに店を構えるようになった）。トーマス・トローブリッジはやがてボストンで働くようになった。

1705年の冬は大変な季節であった。シューアルの日記を基にして、その1年の記録を以下に復元してみる（これらは、ナイト夫人の日誌には記録されていない）。

　1月11日、チャールズタウンからボストンに帰る総督と夫人のソリが川に突っ込んだ。先頭を行く騎兵2人が川に落ちた。総督の馬4頭がそれに続いた。ソリの下になった2頭が死んだ。チャールズタウンから多くの人が、厚板やロープを持って現場に駆けつけた。

　19日、総督と部下の乗った馬車が転覆した。「総督のかつらが吹っ飛び、彼は頭に傷を受けた。私の息子も肘に怪我をした」。馬たちは逃げていき、残されたのは馬車の上部構造だけ。

　26日、「可哀想にエドワード・ガウジ氏が亡くなった。この男は誰に望まれることもなく、また悲しまれることもなかった」とシューアルは記録した。

　2月13日。「昨夜、とても悲しい夢を見た」。彼は、夢のなかで有罪判決を受け、処刑されるところであった。

　24日。「鳥の鳴き声が聞こえる季節がやってきた」。しかし、そう思ったのも束の間、3月4日には「昨夜、大雨。次いで大雪」と記録している。

　3月25日、日曜日。「トーリー氏が説教の後、2人の子供に洗礼をほどこした」。これは、前述した半途契約であったのであろう。30日、葬式、総督と夫人も参列。

　4月12日、感謝祭の日。霜、厚い氷、通りは冬のように凍てついている。

　26日、ダドリー氏が幼子トーマスを埋葬。28日、サラ・ベネットの葬式に、次いでアレン大佐夫人の葬式に。

このように暗いニュースの記録が続く。

7月4日、学位授与式（卒業式）。

17日、釣りに行く。釣果：鱈3匹。吐く。

「25日、ピアポント師の説教を聞くためレディングへ行った」。
当地は、ナイト夫人が移動の最初に泊まった「客あしらいはなって
ない」タバーンで、耳にした土地である（前年10月2日の日誌）。

8月2日、死の床にあるヘイスティング助祭を見舞う。

8月15日、軽二輪馬車が後ろ向きに倒れた（が、無事であった
のだろう）。それで、シューアルは日記に、「神に賛美あれ Laus
Deo」と記した。

20日、コネティカット植民地へ向かう総督のお供をしてロック
スベリーまで行った。

8月23日、「ジュディスが石橋の砂地の上に投げ飛ばされたが、
無傷であった。同じ日に馬にひかれたが、無事であった」。彼女は
シューアルの娘で、この時3歳（誕生時、父のシューアルは49歳、
母のハナは44歳であった）。

9月、近辺地域への出張が続く。

10月1日、帰宅。家族全員が出発前より元気になっていた。「神
に賛美あれ」。

「15日。ランキャスターのソーヤー氏の水車小屋から3人の男
が（先住民の手で）拉致された」。

21日、バルバドスから船隊が到着。

28日、私の娘の生まれたばかりの子供、サミュエル・ハースト
が洗礼を受けた。

11月9日、夜間、マダム・サベッジの住宅に放火した罪で、黒
人（a Negro）に死刑がローチェスターで宣告された。

11月12日、セーレムに行く。（リンにある定食屋ルイスで）ダドレー氏に追いつき、セーレムまで同行。

　14日、法廷閉会。

　15日、帰途、いい天候。行きも帰りもいい天気に恵まれた。

　21日、カナダからウィリアム・ダドレー氏（1704年、ハーバード卒業）がボストンに戻ってきた。彼は、フランスとの平和条約締結と捕虜交換の交渉にあたっていた。捕虜のなかには、2月にインディアンに拉致されていたジョン・ウィリアム牧師も含まれていた。

　24日、雪が地面を覆う。今週はとても寒かった。

　12月1日。「白人の男性と黒人や先住民との関係（私通、あるいは結婚）を極端なペナルティで罰する議案が提出された。これがそのまま通れば、神をも挑発するような内容だ」。

　シューアルはさらに続けて日記に書いた。「私は、この議案から先住民を除外し、黒人には減刑を与え、さらに、彼らの主人には、彼らの結婚を拒否しないようにする条項を付け加えた」。

　この日、シューアルが日記に記述したのは、ここに見た異人種間結婚についてだけであった。この議案は12月5日、法律になった。これによって白人と、黒人あるいは白人と黒人の第1代混血児との結婚は禁止されることになった（違反した黒人は植民地追放になった）。

　12月7日。シューアルは日記の余白に、「荷車の運転手たちが総督を公然と侮辱（Carters affront Governor）」と記した。「昼食後、総督に会った」。

　そこで分かったのは、冬のボストンの雪道で、2人の荷車運転手たちが、総督とその息子の乗った馬車に道を譲らなかった事件で

あった。その結果、2人は裁判にかけられた。以下に裁判の模様を報告しておく。初期の移住者たちのあいだで、権威よりも正義を重んじる傾向がこの裁判に見られるからである。

　また他方では、2世紀半後の1945年に、ジョージ・オーウェルが描くことになる世界の端緒が、すでにここに見られることに注目したい（George Orwell, *Animal Farm*, 1945）。つまり、オーウェルの主人公は次のように、宣言したのであった。

"For once Benjamin consented to break his rule, and he read out to her what was written on the wall. There was nothing there now except a single Commandment. It ran:

ALL ANIMALS ARE EQUAL
BUT SOME ANIMALS ARE MORE EQUAL THAN OTHERS

After that it did not seem strange when next day the pigs who were supervising the work of the farm all carried whips in their trotters. It did not seem strange to learn that the pigs had bought themselves a wireless set, were arranging to install a telephone, and had taken out subscriptions to 'John Bull', 'Tit-Bits', and the 'Daily Mirror'. It did not seem strange when Napoleon was seen strolling in the farmhouse garden with a pipe in his mouth—no, not even when the pigs took Mr. Jones's clothes out of the wardrobes and put them on, Napoleon himself appearing in a black coat, ratcatcher breeches, and leather leggings, while his favourite sow appeared in the watered silk dress which Mrs. Jones had been used to wearing on Sundays."

http://gutenberg.net.au/ebooks01/0100011h.html#ch10

★ (マサチューセッツ湾植民地) 総督の宣誓供述書 (affiadavit)。

On friday, the seventh of December last past, he [the governor] took his Journey from Roxbury towards newhampshire and the Province of nayn for her majestys immediate service there: and for the ease of the Guards had directed them to attend him the next morning at Rumney house, and had not proceeded above a mile from home before he mett two Carts in the Road leaden with wood, of which the Carters were, as he is since informed, Winchester and Trowbridge.

この前の12月7日、金曜日、私 [総督] は、女王陛下の緊急の用務のため、ロックスベリーからニューハンプシャーとネイン地方に向かう旅に出ました。護衛兵たちの負担を少なくするため、明朝、ラムニーの館で落ち合うようにと、彼らに申しつけていました。自宅を出て1マイルも行かないところで、彼 [総督] は、薪を積んだ馬車2台に出会いました。その御者たちは、後になって分かったのですが、ウィンチェスターとトローブリッジでした。

====== = The Charet wherein the Governour was, had three sitters and three servants depending, with trunks and portmantles for the journey, drawn by four horses one very unruly, and was attended only at that instant by Mr. William Dudley, the Governours son.

<ダドレー氏 Mr. William Dudley> 先述したように、当時 Mr. は敬称であった。

★総督の乗っていた四輪馬車には、3人の付添人と3人の従者が乗っていて、旅に必要なトランクや大型旅行鞄が積み込まれていました。馬車を引いていたのは4頭の馬で、その中には気性の荒い馬が1頭いました。事件のあった時、馬たちを御していたのは総督の息子、ウィリアム・ダドレー氏でした。

====== = When the Governour saw the carts approaching, he directed his son to bid them give him the way, having a Difficult drift, with four horses and a tender Charet so heavy loaden, not fit to break the way. Who accordingly did Ride up and told them the Govr. was there, and they must give way: immediately upon it, the second Charter came up to the first, to his assistance, leaving his own cart, and one of them says aloud, he would not goe out of the way for the Governour: whereupon the Govr. came out of the Charet and told Winchester he must give way to the Charet. Winchester answered boldly, without any other words, "I am as good flesh and blood as you; I will not give way; you may goe out of the way:" and came towards the Governour.

★荷馬車が近づいてくるのを見た総督は、彼らに道を譲るように命じろと息子に指示しました。風向きも悪く、馬車はたいして頑丈なものでもなく、また荷物がいっぱいで重いので、曲がるのも難しい。それで、息子は馬に乗って、荷車に向かい、総督がおられるのだ、道を譲れと命じました。すると、仲間を助けるために、自分の荷車はそのままにして、後ろの荷車［の御者］が前の荷車のところに、すぐにやって来て、２人のどちらかが大きな声で、総督のためにでも道は譲らないと言いました。それで総督が、四輪馬車から出てきてウィンチェスターに、四輪馬車の方に道を譲らなければならないと命じました。ウィンチェスターは、大胆にも以下の通りの言葉で答えました。「私の血と肉はあなたと同じものです。私は道を譲りません。あなたが道を譲ればいいのです」。そして彼は、総督の方に向かって来たのです。

====== = Whereupon the Governour drew his sword, to secure himself and command the Road, and went forward; yet without either saying or intending to hurt the carters, or once pointing or passing at them; but justly supposing they would obey and give him the way; and again commanded them to give way. Winchester answered that he was a Christian and would not give way: and as the Governour came towards him, he advanced and at len[g]th layed hold on the Govr. and broke the sword in his hand.

Very soon after came a justice of peace, and sent the Carters to prison.

★すると、総督は、自分の身の安全をはかり、また通行権を確保するために、剣を抜き、前進しましたが、彼には荷車の運転手2人を傷つけるような発言も意図もありませんでした。彼ら目がけて、剣で突くとか振り回すということは一度もありませんでした。そこで彼は、再び道を譲るように命じました。ウィンチェスターは、自分はクリスチャンで、道を譲るつもりはないと答えました。総督が彼のそばにやって来ると、彼は前に出て、総督の体についに手を置き、次に総督の手中の剣を折りました。

　直後に、治安判事がやって来て、荷馬車の御者たちを牢屋に送りました。

====== = The Justices are further informed that during this talk with the carters, the Govr. demanded their names, which they would not say. Trobridg particularly saying he was well known, nor did they once in the Govrs hearing or sight pull of their hats or say they would go out of the way, or any word to excuse the matter, but absolutely stood upon it, as above is sayd; and once, being two of them, one on each side of the fore-horse, laboured and put forward to drive upon and over the Governour.

And this is averred upon the honour of the Governour.

J. Dudley.

★こうして話しているあいだに、総督は荷車の運転手たちに名前を尋ねましたが、彼らはそれに答えようとしませんでした、と裁判官諸氏に伝えられました。とりわけトローブリッジは、彼はよく知られていると言っていました。さらに、総督の聞こえるところ、あるいは目に見えるところで、彼らは帽子を一度でも取るようなことはありませんでしたし、また、道を譲るとも言いませんでした。また、弁解の言葉もありませんでした。上述したとおり、立場を変えるようなことは一切ありませんでした。２人は、先頭の馬の両側に１人ずつ立ち、総督を超え、その向こうに前進しようとしました。

　これは総督の名誉にかけて避けられました。J. ダドレー

　荷車運転手たちからは、次の宣誓供述書が提出された（ここでも原文通りにタイプするように心がけた）。

====== = Thomas Trowbridge's account: "I, Thomas Trowbridge of Newtown, being upon the seventh day of December 1705 upon the Road leading to Boston, driving my team, my cart being laden with cordwood, as I passed through the town of Roxbury, in the lane between the dwelling house of Ebenezer Davis and the widow Pierponts, in the which lane are two plain cart paths which meet in one at the descent of an hill:

★トーマス・トローブリッジの主張：「私、ニュータウンのトーマス・トローブリッジは、1705年12月７日、ボストンにつながる道

路上を薪の束を積んだ馬車を馬たちに引かせていました。ロックスベリーという町で、エベニーザー・デービスの住宅と未亡人のピアポントさんの家のあいだにある道路を通っていました。その道路には、はっきりとした2本の馬車道があって、それは丘を下りたところで1本になります。

====== = I being with my cart on the west side of the lane, I seeing the Governors coach where the paths meet in one, I drave leisurly, that so the coach might take that path one the east side of the lane, which was the best, but when I came near where the paths met, I made a stop, thinking they would pass by me in the other path.

★私と馬車は、道路の西側にいたのですが、馬車道が1本になるところに総督の4頭立ての馬車が見えたので、私はゆっくりと進みました。総督の馬車が、東側を行けばいい、それが最良だったのです。2本が1本になるあたりに着くと、私は止まりました。総督たちが東側の道を進んで、私とすれちがうだろうと考えたのです。

====== = And the Governors son viz. Mr. William Dudley, came rideing up and bid me clear the way. I told him I could not conveniently doe it, adding that it was easier for the coach to take the other path then for me to turn out of that:

★すると、総督の息子、つまり、ウィリアム・ダドレー氏なのですが、彼が馬に乗ってやって来て、道を空けるように命令しました。

私は、そんなことは、そう都合良くできるものではないと言ってやりました。さらに、総督の馬車が東側の道をとることの方が、私が回転して道を空けるより簡単だと付け加えました。

====== = then did he strike my horse, and presently alighting his horse, drew his sword, and told me he would stab one of my horses. I stept betwixt him and my horses and told him he should not, if I could help it: He told me he would run me through the body, and made several pases at me with his sword, which I fended off with my stick. Then came up John Winchester, of Muddyriver alias Brookline, who was behind me with his loaded Cart, who gives the following account.

★すると総督の息子は、私の馬を打ち、次いで馬を下りると、剣を抜き、私の馬を突き刺してやろうと言いました。私は、彼と私の馬のあいだに入り、彼にそんな真似はさせないと言いました。できることなら、そんなことは願い下げだと。彼は、お前の体中に刀を突き刺してやろうと言い、私を目がけて剣で突きを入れるのです。私はそれを棒で避けました。その時です、私の後ろで、荷で一杯の荷車を引いていたマディーリバー（あるいは、ブルックライン）のジョン・ウィンチェスターがやって来たのです。彼は次のように主張しました。

====== = I, John Winchester, being upon the road in the lane above written, on the year and day above said, hereing Mr. William Dudley give out threatening words that he would stab

Trowbridge his horse, and run Trowbridge himself through the body if he did not turn out of the way, I left my cart and came up and laid down my whip by Trowbridge his team. I asked Mr. Wm. Dudley why he was so rash:

★私、ジョン・ウィンチェスターは、前述の年と日に、その馬車道にいました。ウィリアム・ダドレー氏が、トローブリッジの馬を刺すという、威嚇的な言葉を吐き、さらに道を譲らないのであれば、お前の体中を刺してやろうと言うのを耳にして、私は自分の馬車を離れ、2人のところへ向かいました。鞭は、トローブリッジの馬たちのところに置きました。私はウィリアム・ダドレー氏に、どうしてそんなに向こう見ずなのですかと尋ねました。

====== = he replyed "this dog wont turn out of the way for the Governour." Then I passed to the Governour with my hat under my arm, hopeing to moderate the matter, saying "may it pleas your Excellency, it is very easie for you to take into this path, and not come upon us:" he answered, "Sirrah, you rogue or rascal, I will have that way." I then told his Excellency, if he would but have patience a minute or two I would clear that way for him.

★彼の答え。「この馬鹿者が、総督のために道を譲ろうとしないのだ」。次いで、私は帽子を脇の下に入れ、この事態をこじらせないために総督に、「失礼ですが、総督。こちらの道を通れば、私たちと衝突することもありませんよ」と言いました。彼は答えました。

「お前は悪漢か、それとも悪党か。儂はあっちの道がいいのだ」。
それで、私は総督に言いました。１分か２分、我慢していただけれ
ば、私は道を空けましょう。

====== = I, turning about and seeing Trowbridge his horses
twisting about ran to stop them to prevent damage; the
Governour followed me with his drawn sword, and said "run
the dogs through," and with his naked sword stabbed me in
the back. I faceing about, he struck me on the head with his
sword, giveing me there a bloody wound. I then expecting to
be killed dead on the spot, to prevent his Excellency from such
a bloody act in the heat of his passion, I catcht hold of his
sword, and it broke; but yet continueing in his furious rage he
struck me divers blows with the hilt and peice of the sword
remaining in his hand, wounding me on the hands therewith:
in this transaction I called to the standers by to take notice
that what I did was in defence of my life.

★振り返ると、トローブリッジの馬たちが身をよじるようにしてい
たので、私は被害を防ぐために走って行きました。総督は、抜き身
の剣を持ち、私を追いかけ、「この悪党どもを突き刺してやろう」
と言い、その抜き身の刀で私の背中を刺しました。私が振り返ると、
総督は、刀で私の頭を打ちました。そのため、血だらけの傷ができ
ました。その場で殺されるかもしれないと思い、私は、総督が怒り
にまかせて、そのような残虐な行為に出るのを防ぐため、彼の剣を
つかんだところ、それが折れました。それにもかかわらず、ひどく

立腹した総督は、手元に残った剣の柄やなんかで私を何回も打ちました。それで私の両手は傷つきました。こうしているあいだ、私は、近くで見ている人たちに、私がしたのは、自分の命を守る正当防衛だと覚えておいてくれと叫びました。

====== = Then the Governor said, "you lie, you dog, you lie, you divell," repeating the same words diverse times. Then said I, "such words don't become a christian;" his Exelency replyed "a christian, you dog, a christian you divell. I was a christian before you were born." I told him twas very hard that we who were true subjects and had been allways ready to serve him in any thing, should be so run upon, then his Exelency took up my cart whip and struck me divers blows: then said I "what flesh and blood can bear this:" his Exelency said "why don't you run away, you Dog, you Divell, why don't you run away."

＜臣民 subject＞　大英帝国に住んでいる者は、市民 citizen ではなく、王の臣民 subject であった。

★すると、総督は「嘘つきめ、お前は畜生だ、嘘つきの悪魔だ」と言い、それを何回も繰り返しました。それで、私が言いました。「そのような言葉は、クリスチャンらしくありません」。総督は、「クリスチャンだと。この犬やろう。クリスチャン、お前は悪魔だ。この俺は、お前なんかが生まれる前からクリスチャンだ」。それで、私は言いました。「忠実な臣民である私たちは、これまでいつも総

督にお仕えしてきました。そんな臣民を踏みつけるとは、とても受け入れられるものではありません」。すると総督は、私の馬車用の鞭を手に取り、私を何回も打ちすえるのです。で、私は言いました。「こんな仕打ちに耐えることのできる生身の人間はいません」。総督は言いました。「犬め、逃げ失せろ。悪魔め、姿を消せ」。

====== = I Thomas Trowbridge, further declare that I seeing and hearing the fore-mentioned words and actions, between his Exelency and said Winchester, and seeing Mr. William Dudley make a pass at Winchesters body, with his naked sword. I with my arm turned him aside, and he recovering himself, he stabbed me in my hip; then the Governer struck me divers blows with the hilt of his sword; then takeing Winchesters driveing stick and with the great end there of struck me severall blows as he had done to Winchester afore.

★私、トーマス・トローブリッジは、さらに断言します。私は総督とウィンチェスターのあいだのやり取り、つまり、その言葉を聞き、また行為を目にし、さらにウィリアム・ダドレー氏が、彼の抜き身の剣で、ウィンチェスターの体を突くのを目にしたので、私は腕で彼を押しやりました。すると、体勢を立て直した彼は、私の腰を刺しました。次いで総督が、彼の剣の柄で、何回も私を突きました。さらに、ウィンチェスターの運転用の棒で、その棒の重い方の先端で、ウィンチェスターにやったように、私を数回殴りました。

====== = Winchester told his Exelency he had bene a true

subject to him, and served him and had honoured him, and now he would taked his life away for nothing. The Govern-our replyed "you lie, you dog, you know that I intended you no harm." When we spake of tarrying no longer but of driveing along our teams, his Exelency said "no you shall goe to Goale, you Dogs; when twas askt what should become of our teams his Exelency said, "let them sink into the bottom of the earth."

JOHN WINCHESTER, junr
THOMAS TROWBRIDGE

<junr>　junr は junior の省略形。

★ウィンチェスターは、総督に向かって、私はずっとまことの臣民であり、総督にはお仕えし、また敬ってきましたが、その総督が、いま無実の人間の命を奪うところでした。総督は、「嘘つきめ、この犬野郎、傷つける気などなかったのは分かっているだろう」と答えました。私たちが、これ以上ぐずぐずしていないで、馬と一緒に進まなければと話をすると、総督は、「いいや、お前たち犬は、監獄に行くんだ」と言いました。私たちの馬はどうなるんでしょうかと尋ねると、総督は、「地球の底まで沈めばいいんだ」と言いました。

ジョン・ウィンチェスター
トーマス・トローブリッジ

====== = "At a session of the Supreme Court , 5 November

1706, present Sewall, Hathorne, Walley, and Leverett, both
Winchester and Trowbridge 'being bound by recognizance to
this court' were 'discharged by solemn Procclamation.'

裁判所の記録：1706年11月5日、裁判の結果が公表された。ウィ
ンチェスターとトローブリッジは共に無罪放免された。

　ジョン・ウィンチェスターは、1700年にサラ・ホワイトと結婚、
裁判時、彼は23歳、サラは20歳であった。

　トーマス・トローブリッジは1711年9月15日に亡くなった。享
年48。彼の妻メアリーは1742年に亡くなった。享年75。

　トーマス・トローブリッジ（1677–1725）の息子（エドマン
ド）は、ハーバードに進学、後に最高裁判所判事になった。娘リ
ディアの息子も同裁判所の判事になった。

　この判決が出た同じ年（1706）、ニューヨークのロング・アイラ
ンドでは、鹿狩り禁猟令が出された。同地で継続的に行われていた
狩りのため、鹿の個体数が大幅に減ったことが背景にあった。

　さらに2年後、ニューヨークの広い範囲で、七面鳥、クロライ
チョウ、ウズラなどの禁猟令が発布された。この事実は、新世界を
目指してやって来た移住者が、今や開拓者として、東から西に押し
出される、新しい傾向の誕生を意味した。

　ここに、西部に新天地を求める新しい動きが始まった。

エピローグ

　この本は、大学生や社会人を念頭に書いたものです。1回生には少々シンドイかもとも思いますが、予習復習宿題を頑張れば、十分についてこられるレベルだと考えています。2回生で使う場合は、少し幅を広げて、関連事項を自発的に調べる余裕も出てくると思います。

　アメリカに関心のある社会人にも独習できるように、注釈はできるだけ詳しいものにしました。

　大学生の場合、完読するのには詳しい注をつけたので、半年（20回ほどの授業）で十分だと考えています。後期には、William Saroyan, *My name is Aram* や、O. Henry の短編集がいいのではないかと思っています。

　2回生では、Charles Webb, *the Graduate* や、Paul Auster, ed., *I Thought My Father Was God* などが、英語面だけでなく、社会的な知的好奇心にも十分に応えてくれるでしょう。

　夏休みには、J. D. Salinger, *the Catcher in the Rye* などを読めば、大学で求められる英語力が獲得できると考えています。Hemingway の *the Moveable Feast* が興味深いと思う人も多いでしょう。

　あるいは、*Peanuts: the Art and the Story of the World's Best-Loved Comic Strip by Schulz*, Harper Collins, 1999も、教室（授

業）で取り扱うのは冒険かもしれませんが、学生たちの関心は高いのではないでしょうか。教科書としては高価ですが、アマゾンで安い古書も売っています。

高価と言えば、これも確かに高価ですが、Otto Jespersen, *Essentials of English Grammar*（Paperback）に強い関心を持つ学生もいるかもしれません。

さらに、異文化間コミュニケーションに関心のある人は、Edward T. Hall, the *Silent Language* などもいいと思います。

どの作品を読もうとも、宿（課）題は、その日にカバーしたテキストを、あたかも写経をするかのように、手書きで筆写して、次週に提出することです。この努力は、英語力をブラッシュアップしたい社会人にもおすすめです。

同志社大学では、幸運なことに、2022年度から新しい英語教育プログラムがスタートしました。その基本的な構想によれば、授業は習熟度別で、そのレベル（習熟度）は、これまでの3から4段階に増えました（詳細は次のサイトで https://cgle.doshisha.ac.jp/subject/English newcurriculum.html）この、新しいプログラムは、優れたアプローチのように思われます。

昨年のホームカミング時に発表された学長の報告のなかに、「質の高い嘱託講師の確保が難しい」という指摘がありました。それにもかかわらず、それに対する直接的な反応が、上記プログラムに見られなかったのは残念なことです。

これに関して、付け加えれば、関係者が読むべき報告があるということです。それは、大賀まゆみ非常勤講師の、「履修登録学生数120名の＜イングリッシュ・セミナー2＞の再履修クラス」という

論文です。誰もが（おそらく）、この報告を一読して驚かれるのは、履修登録学生数が、120名というクラス・サイズです。さらに驚くのは、この120名の学生が、全員再履修生だという事実です。

　誰が考えても教えるのが難しい、このような巨大サイズのクラスを専任の先生方も受け持っておられるのでしょうか。クラス・サイズに関して、学生諸君から苦情はないのでしょうか。

　今出川キャンパスから遠く離れた田辺キャンパスまで来られる先生方（専任であろうが、非常勤であろうが）と、学生たちは十分に接触する時間はあるのだろうか、という疑問も湧いてきます。この距離の壁は、避けて通れない性格の問題で、大学全体で考えなければ解決できないと思われます。

　昔の話になりますが、今となっては懐かしい先生方との思い出があります。そのいくつかを紹介します。

　クラーク館から西門に向かわれるプライス先生に、歩きながらスペイン語を習う同級生もいました。あるいは、商学部から英文科に来られて、「アメリカ事情」を担当してくださった鈴木先生など。先生の授業は、岩波新書『アメリカン・ライフ』を、時間的に数歩先を行く内容で、非常に楽しいものでした。

　柳島彦作先生は、下鴨北園町２丁目のご自宅から、自転車で今出川のキャンパスに通っておられました。４時間目の授業が終わると、先生と私は、同志社女子大学のキャンパスを通り抜け、鴨川に出ました。そこから川の広い土堤を先生と、先生が押される自転車について、三条あたりまで歩くことがよくありました（四条まで足を伸ばすことはありませんでした）。

　その間、先生はずっと英語で話されていました（僕が同志社で受

けた英会話の授業（？）は、この散歩の時間だけだった）。三条大橋が見えると、今来た道を戻り、北大路橋あたりで、地上に出て、下鴨本通りを北に向かった。

　北園町２丁目に来ると、植物園の上に太陽が沈むころであった。そこで、僕は先生にお辞儀をして、先生と別れた。先生は自転車を押して西に向かわれた。僕は、その後ろ姿を見送った。https://www.doshisha.ac.jp/attach/page/OFFICIAL-PAGE-JA-415/140951/file/47peopleBiblio.pdf

　もう１人、自転車に乗る先生がおられた。僕はある日、アメリカ事情を知りたくて、どのような勉強すればいいのかと、大胆にも北垣宗治先生に尋ねた。すると、先生は、「ニューヨークタイムズがいい」と教えてくださった。

　幸運なことに、ちょうど、そのころ８ページの、今で言う Op-Ed pages が日本で発行を開始したばかりであった。先生はそのなかのジェームズ・レストン James Reston のコラムを選ばれ、分からないところに赤線を引いてきなさいと指示された。

　その頃のM地下には、「エリカ」という生協の喫茶店があった。水曜日の朝、その奥の静かな席で、小さなテーブルの上に新聞を開き、赤鉛筆をにぎり、不明な点を再びチェックした（コーヒーはたしか30円くらいだった）。１時間目終了のチャイムが鳴ると、地下１階から飛び出し、学生でごったがえす地上に出た。

　先生は、明徳館での授業を終え、次の教室のある静思館へ向かって、群衆（！）のなかを自転車を押しながら歩いておられた。10分間の休み時間に、質問全部を先生にぶつけるのは至難の業であった。

しかし、このような「特設授業」を重ねてもらっているうちに、自分自身が用意した質問にも、程度（レベル）があるということが分かりはじめた。つまり、質問にも、訊ねて教えてもらわなければならないものと、自分でもっと調べれば、分かるものとがあるということが、見えてくるようになったのであった。

　60年以上前の話になるが、自転車を押す２人の先生方の姿は、今もくっきりと思い出すことができる。19歳であったのだから、正確には65年前の経験であった。　　　　　（天野 元 / 5 / 2023）

天野　元（あまの　はじめ）
　1939年生まれ。京都府立洛北高校ではサッカー部と新聞局に所属し、また生徒会長を務めた。同志社大学では北垣宗治先生のすすめで学寮のアーモスト館に入り、オーティス・ケーリ先生の下でアメリカ研究を始めた。榊原胖夫先生に『オレゴン・トレイル』を借り、初めて読んだのもその頃である。卒業後、ケーリ先生のアシスタントを半年務め、カリフォルニアのパモナ・カレッジに留学（国際関係論）、アメリカ生活2年目はロサンゼルスのコロ財団の研究員（アメリカ社会）。帰国後、2年オリベッティに勤務（それにもかかわらずブラインド・タッチでタイプができない）。1967年に追手門学院大学へ。1974年、コロラド州立大学の大学院（ガニスン）で1年間在外研究（アメリカ研究）。現在、追手門学院大学アメリカン・フットボール部（ソルジャーズ）顧問、英米科教授。96年度英文学会会長。MICS Newsletter編集長。目下の関心事：「おーい、オレゴン・トレイル学会を作ろう！」。共訳書：『アメリカ・その知的風土―植民地時代から60年代まで』（英宝社）。
現住所：617-0822　長岡京市八条が丘1-4　天神ハイツ8-202
　　　＊
　その後、変化が少しあった。『オレゴン・トレイル物語』（英宝社）が出版され、夢の1つが現実のものになった。退職にともない変化が2つあった。2006年4月からは名誉教授（追手門）、名誉顧問（アメリカン・フットボール部、チア・リーディング部、後援会）を名乗ることを許された。変化の2つ目は外出が減り、パソコンと毎日つきあうようになったこと。『ゴールドラッシュの恋人たち』（編集工房ノア、2010）はその結晶である。
　　　＊
　さらにその後、変化があった。体力が衰えたのである。それで目下の夢は、楽な船旅で、イースター島のモアイ像を見に出かけることである。遠くを眺める、あの15人衆は、何を思っているのだろうか。そんな船旅に妻・直美とゆっくり行ってみたい。そして、「なんでまた？」と彼らに問うてみたい。

アメリカ　1704
ナイト夫人の旅日誌
2023年8月4日

著　者　天野　元
発行者　涸沢純平
発行所　株式会社編集工房ノア
〒531-0071　大阪市北区中津3-17-5
TEL 06・6373・3641
FAX 06・6373・3642
振替　00940-7-306457
組版　株式会社四国写研
印刷製本　亜細亜印刷株式会社

ゴールドラッシュの恋人たち

西部開拓年代誌 1

天野 元
Amano Hajime

　1848年1月24日。快晴。この日の朝、金が発見された。ラッシュが始まった。陸路で大陸横断をする者はバッファローに驚いた。海路で採掘地を目ざす者は寄港地で異文化を楽しんだ―。「窓辺の女性　町行く神父　夜明けの太陽　みんな　今日のお天気　告げている」。　別れを告げた恋人たちには待つという試練が始まった。彼らに唯一許された通信手段は手紙であった。

　エレンとイーナスが3年間にかわしたラブレターをとおして1世紀半前のアメリカ社会の実像を描く―しかし、まずはドン・キホーテから……。

第1章 アメリカ人の作り方／第2章 カリフォルニアの作り方
第3章 サンフランシスコの作り方／第4章 婚約者の育て方

編集工房ノア　定価：本体4800円＋税　ISBN978-4-89271-181-7

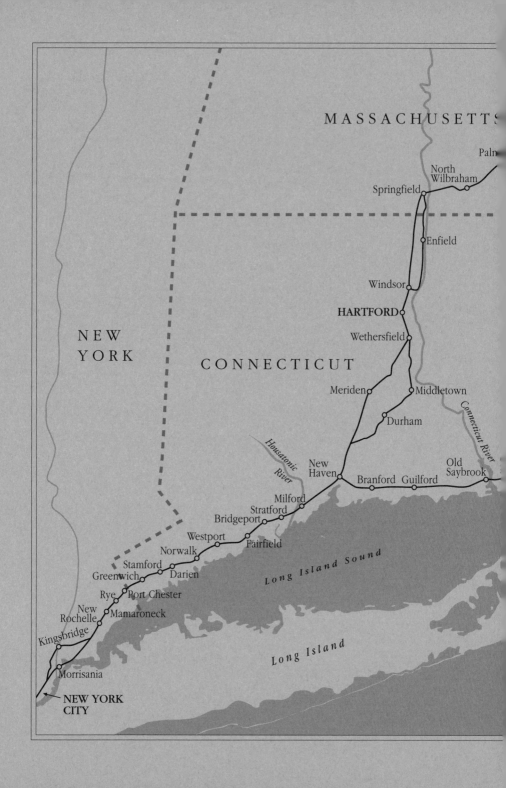

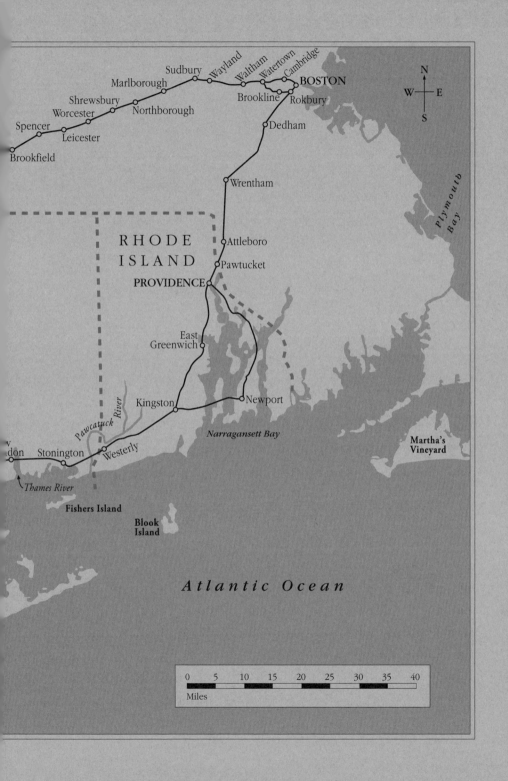